Le monde libre

Aude Lancelin

LE MONDE LIBRE

LLL LES LIENS QUI LIBÈRENT

ISBN : 979-10-209-0460-7

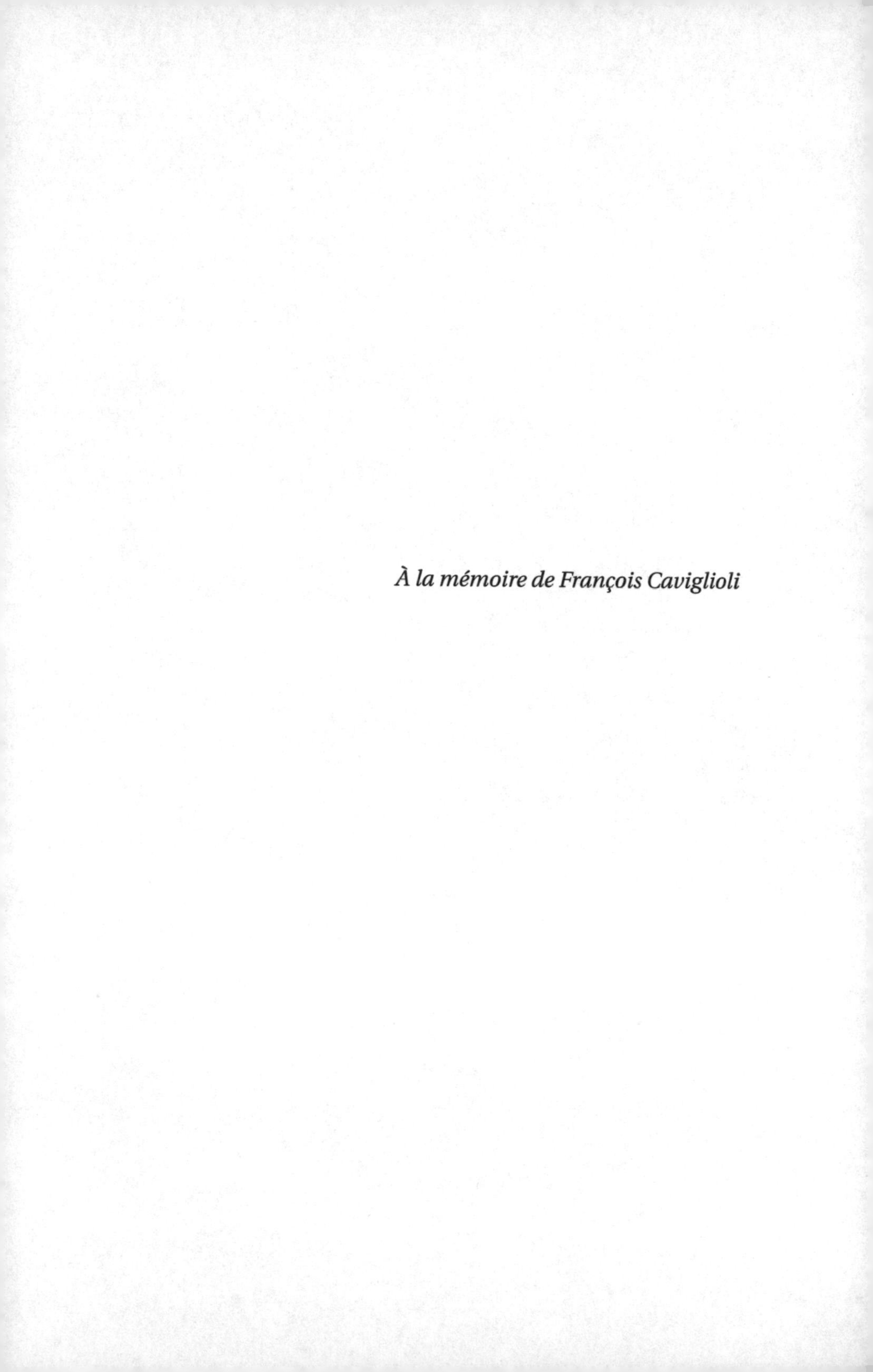

À la mémoire de François Caviglioli

« Comment écrire ? sinon comme une femme accoutumée à l'honnêteté se déshabille dans une orgie. »

GEORGES BATAILLE,
Les Problèmes du surréalisme, 1949.

« Tu verras ce que l'on gagne à vouloir vivre libre. »

ALPHONSE DAUDET,
La chèvre de monsieur Seguin, 1869.

Avertissement

Ce fut sous le règne de François Hollande que ces personnages vécurent et se querellèrent ; bons ou mauvais, beaux ou laids, riches ou pauvres, ils seront tous égaux un jour, écrirais-je à la manière de Stanley Kubrick, à la toute fin de *Barry Lyndon*. Dans tous les événements qui seront relatés ici, il n'est pas une phrase, pas un fait, qui ait en quoi que ce soit été inventé ou même déformé. Certains noms ont cependant été modifiés. Principalement ceux du journal pour lequel j'ai longtemps travaillé et des personnages haut placés qui alors le peuplaient. L'important n'est pas tant de les identifier que de déterminer le rôle qu'ils auront joué au sein du système ayant abouti à la mise à sac entière d'un métier. Eux passeront, l'œuvre de destruction restera. Par cet artifice, j'ai aussi choisi d'ajouter la légèreté du romanesque à la vilenie bien réelle de certaines situations.

Prologue

On vient m'arrêter, des hommes m'empoignent pour m'emmener vers un échafaud lointain. Autour de moi personne ne proteste. Un sentiment d'approbation accompagne la violence calme et implacable qui colore toute la scène. On ne m'explique pas ce que j'ai fait. Un crime selon toute vraisemblance, et d'une espèce indiscutable, dont la nature dispense même de la moindre justification. La perspective du supplice, de la mort, n'est pas ce qui suscite alors en moi la révolte. Ce qui me saisit d'horreur, c'est le silence de mes proches, présents lors de la scène. Leur adhésion sourde à la loi glacée qui s'exerce et s'apprête à me broyer.

J'ai fait ce rêve il y a longtemps, à la fin de l'enfance je crois. Jamais il ne m'a quittée depuis, jamais je n'ai pu l'oublier. Les événements qui seront relatés ici auraient pu en être une sorte de survenue dans le réel, des années plus tard. À bien des égards, on verra qu'ils en furent en réalité l'exact contraire. On est venu me chercher, en effet, une meute d'hommes m'a entraînée vers une espèce de martyre, m'infligeant le licenciement que tout salarié contemporain redoute, le Jugement dernier profane qui le pousse à presser le pas chaque matin vers le travail, et à sourire servilement à la machine à café. Mais contrairement au cauchemar de l'enfance, tout le monde a protesté. Un sentiment de révolte a balayé la peur tout autour de moi, de la base jusqu'au sommet. On a cherché par tous les moyens à stopper les exécuteurs, on s'est couché devant les roues du camion, on a pleuré de rage, d'impuissance. Mais puisqu'il faut dire toute la vérité, au fond de moi je savais. Contrairement au cauchemar de l'enfance là encore, j'étais sûre qu'un jour ils viendraient. L'atmosphère de crime qui m'accompagnait depuis longtemps, comme un halo, dans la presse d'une France au crépuscule, impossible de ne pas l'éprouver.

Cela faisait longtemps qu'ils m'attendaient au bout du chemin, et ils n'ont d'ailleurs pas manqué de patience. Les imposteurs défaits de la « nouvelle philosophie », les tartuffes de la réaction grimés en gardiens des belles-lettres, les antiques pieds-noirs éditorialistes qui pensent que chez les femmes il faut emporter le fouet, les corrupteurs qui clignent des yeux en affirmant devant la débutante que, lorsque vous aurez une cave et des amants, c'en sera fini avec les phrases de l'intégrité, les managers de l'année que votre seul regard dérange, les benêts de salles de rédaction pour qui le seul usage d'un mot rare est déjà une sorte de crachat à eux personnellement adressé, les somnambules surtout, qui ne savent pas qu'un jour ce pays fut la patrie de l'intelligence, ou ceux que le souvenir de ce flambeau désormais éteint humilie et qui préfèrent l'oublier.

1

Un ogre venu des télécoms

Il n'est pas certain pourtant que tous auraient osé ce geste à mon égard si un plus violent qu'eux, un parvenu déjà tout crotté de méfaits, n'était venu enhardir leur long désir. Un personnage venu de l'univers des télécommunications et des centres d'appels, ces nouveaux bagnes où des esclaves d'un nouveau type trimaient pour offrir des services *low cost* à d'à peine plus fortunés qu'eux.

À l'animosité ancienne de mes ennemis, l'ogre de la connexion Internet bradée offrit un débouché simple et sans appel, qui les laissa eux-mêmes sidérés par sa brutalité inespérée, dans un monde de la presse où, il y a peu encore, un moelleux paternalisme réglait les rares conflits sociaux qui pointaient. Un licenciement d'une agressivité telle qu'on en voyait seulement dans son monde vorace, où il était de bonne pratique d'optimiser le coût de l'être humain, de monter à la hâte des dossiers pour briser les récalcitrants, de broyer jusqu'aux plus zélés desservants de l'entreprise, d'instaurer la mise en alarme de tous pour mieux régner sur chacun.

À ce personnage tentaculaire, dont le passé était notoirement trouble, la presse dite de « progrès » s'était gracieusement vendue en quelques années à peine pour un plat de lentilles et quelques bouchées de pain. Il en possédait les principaux titres, les plus anciens, les plus recrus de prestige, ceux-là mêmes qui étaient issus de la Résistance ou des luttes de la gauche pour la décolonisation, ces feuilles autrefois galvanisées par des combats essentiels. Aujourd'hui, celles-ci servaient avant tout, du moins le plus souvent, à dicter les prochains gadgets culturels que devraient se procurer de jeunes enseignants pleins de bonne volonté intellectuelle ou de solides bataillons de bourgeois de province, mais un certain lustre y demeurait encore, une histoire qui, pour s'être déjà en grande partie voilée, n'en conservait pas moins toujours l'écho d'un authentique âge d'or de la pensée et de la politique.

Dans ce véritable raid sur tout ce qui restait de simulacre d'information bon teint « de gauche », dans cette opération de mainmise presque totale, à peine vraisemblable même par son degré d'extension, deux autres personnages avaient secondé l'ogre des télécoms. Ensemble, ils avaient fondé une holding appelée non sans témérité Le Monde libre, actionnaire majoritaire du groupe « Le Monde », dont le joyau était un célèbre quotidien du soir. « *Jupiter rend fous ceux qu'il veut perdre* », on le sait. Le nom donné à leur nouveau-né était une bien curieuse idée.

L'un devait sa fortune colossale à la haute couture, une des dernières sphères où l'astre français n'avait pas encore pâli, et ne se distinguait plus guère publiquement que par le mécénat de prix littéraires ou par quelques saillies amères sur tel journaliste du groupe qui l'avait indisposé pour des raisons le plus souvent obscures ou anecdotiques. Il se vantait du reste de ne pas ouvrir la plus grande part de la presse qu'il finançait, expression ultime de la morgue qu'il distribuait sur elle sans compter. Ses nombreuses relations avec des hommes de pouvoir, l'amitié qui l'avait autrefois uni au président Mitterrand, la respectabilité de gauche qui entourait encore son nom, avaient néanmoins été formidablement utiles à son associé, l'ogre des télécoms, qui, sans cette « savonnette à vilain », n'aurait sans doute jamais pu accéder à la propriété du *Monde*.

L'autre était un banquier d'affaires à l'intelligence très vive. Étrange et fort jalousé, à l'évidence travaillé par des forces violemment antagonistes, il aimait deviser sur un monde en plein effondrement, citer des poètes, s'enflammer pour des samizdats révolutionnaires. Avec la même énergie, il s'enthousiasmait pour des caudillos de la gauche radicale ou des groupes culte du rock, et passait néanmoins sa vie à se couler amoureusement dans les circuits de l'argent, entre les tableaux de chasse vieillots des salles à manger de Lazard Frères, et la tour du siège newyorkais de sa banque, d'où il dominait tristement Central Park. De plus détruits que lui ne voyaient à travers toutes ses cabrioles que postures sans suite pour magazines complaisants. C'était une erreur. Il était parfaitement sincère à sa façon. Nul ne peut servir deux maîtres cependant. Le situationnisme et la banque, encore moins que d'autres. Il avait donc choisi, et de longue date en réalité, même si une part de son esprit semblait encore parfois parvenir à ignorer ce que tramait l'autre.

Ainsi était-il devenu l'arlequin de l'ogre. Ses excentricités politiques étaient habilement utilisées par son associé pour donner à leur empire de presse une apparence de diversité idéologique, de tempérance par neutralisation des contraires. «*Nos journalistes sont très heureux*», disait l'ogre, «*leurs actionnaires ne sont pas alignés, cela leur laisse une grande liberté*». Et de bonheur, il y en avait si peu dans la presse agonisante des années 2010 que tout le monde avait envie de croire à ce mensonge, et au ton patelin qui l'accompagnait. Il n'y avait pourtant dans toute l'affaire qu'un seul maître, ainsi que l'on ne tarderait hélas pas à s'en rendre compte, et le maître c'était l'ogre.

Lourdement endetté depuis des années déjà pour satisfaire à ses caprices de jeune tycoon, le banquier d'affaires avait vu le prêt qu'il avait contracté pour entrer au Monde libre garanti par la fortune immense de son associé. Celui-ci le tenait donc désormais sous sa coupe, sans restriction sur l'essentiel, et ne lui laissait pas la longe très longue. L'ogre ne se privait du reste pas dans Paris d'ironiser méchamment au sujet de son envergure financière incomparable à la sienne, et de ses prises de position politiques «avancées». L'une garantissant l'innocuité des autres, ces dernières suscitaient des gorges chaudes aux tables d'une oligarchie qui aurait été alarmée par un authentique milliardaire rouge, mais s'amusait de ces fantaisies jugées somme toute sans conséquence. L'ogre assurait du reste que celui-ci «*retrouvait tout à fait les pieds sur terre, dès lors qu'il était question d'argent*».

Lorsque les deux compères s'exprimaient ensemble publiquement sur un plateau de télévision, l'électricité entre eux était tout à fait perceptible. Leurs corps eux-mêmes se repoussaient comme sous l'empire d'une espèce de danse nuptiale inversée qui était assez remarquable.

De joute d'honneur ou de guerre véritable, il ne pouvait y avoir cependant, tant le destin social de l'un était désormais subrepticement passé entre les mains de l'autre. Il n'était guère étonnant à cet égard que l'arlequin affiche, dans les portraits qui étaient souvent consacrés dans la presse à sa figure tout à fait hors du commun, une passion pour les jeux vidéo préférés des adolescents, tel Assassin's Creed, dont l'univers mêlait la science-fiction au folklore médiéval. Il n'en allait pas seulement là de faire communément allégeance à une certaine médiocrité d'époque, de la même façon que toutes les élites diplômées de la planète aimaient alors à s'aplatir devant les plus creuses séries télévisées. Il en allait de quelque chose de plus profond pour lui, à travers ces absurdes consoles de jeux dont un homme aussi intellectuellement délié prétendait être dépendant. Il en allait de la scénarisation de guerres jamais menées, il en allait de gigantomachies qui n'engagent à rien, et qui surtout, dispensent de mener les vrais combats dans le réel. Ainsi filait sa vie depuis qu'il avait croisé l'ogre, et que celui-ci, avec sa montagne d'argent, avait fini par engluer son désir le plus ancien, celui-là même qui l'avait poussé à investir dans les médias. La politique.

2

Naissance de « l'Obsolète »

C'est à cet ogre-là, et à personne d'autre, que « l'Obsolète », le vieux journal autrefois hardiment « de gauche », où j'étais entrée à l'âge de vingt-six ans, avait choisi de se donner en 2014. Comment une telle chose avait-elle été possible ? Comment l'évangile hebdomadaire de tous les intellectuels progressistes des années 70 avait-il ainsi pu s'offrir, la maturité avancée, au roi sardonique du haut débit, à ce seigneur qui régnait sans partage sur des milliers d'employés, et se prenait parfois à envier les mœurs salariales des antipodes asiatiques ?

Il y avait là hélas plus qu'un mauvais tour de l'histoire, plus qu'un de ces naufrages que connaissent sur le tard certaines institutions ou certains destins individuels, renonçant faustiennement à tous les idéaux de la jeunesse. Il n'y avait pas là une défaite tardive, comme certains aimaient à se raconter l'histoire encore trop avantageusement. Il y avait là une logique à l'œuvre au contraire, l'aboutissement – il est vrai effroyable – de tout un parcours. Celui de la « deuxième gauche » elle-même, celle qui avait surgi du cerveau d'une caste d'énarques et de patrons modernistes, celle qui avait rêvé d'un pays sans usines, sans conflits, délivré des grands bras de fer fondateurs dont l'histoire était désormais recouverte de mensonges et d'ordures. Une gauche dont le nouveau président de la République, élu un peu par accident en 2012, incarnait une version à la fois bonhomme et dure, présentant l'énorme défaut de rendre le subterfuge absolument nu aux yeux de tous. Une gauche qui avait de longue date les yeux de Chimène pour les tours de vis managériaux et les fascinantes sagas d'entrepreneurs high-tech que le Barbe-bleue des télécoms incarnait entre tous. Une gauche qui avait donc tout pour lui tomber un jour dans les bras et se faire saigner à blanc par lui.

Rien n'avait jamais été innocent et sans tache dans l'histoire de «l'Obsolète», dont l'essence même avait en réalité toujours reposé sur un malentendu idéologique plus ou moins sciemment entretenu par ses fondateurs. À l'origine était une austère feuille anticolonialiste, *France Observateur*, qui, au début des années 60, servait encore d'organe à toute la gauche intellectuelle non communiste. À la faveur de ces creux que connaissent les journaux, quand leurs combats s'épuisent ou que leur lectorat trouve ailleurs à s'enticher, vint à s'en emparer une petite fraction mondaine et plus droitière, directement issue de *L'Express*, charnier natal fondé par Jean-Jacques Servan-Schreiber et Françoise Giroud dix ans auparavant. En partie né de l'engagement contre la torture en Algérie, *L'Express* de cette époque était lui-même devenu au fil du temps l'étendard de la bourgeoisie atlantiste et pro-entreprise, qui se voulait de gauche tout en rêvant d'Amérique, et finirait logiquement, quelques années plus tard, par se revendiquer d'un hypocrite « ni droite ni gauche », signant la reddition totale à de prétendues lois du marché, comme de juste idéalement ajustées aux intérêts des classes favorisées.

Un personnage s'était distingué entre tous au sein de cette rédaction, autant par son ambition hors de toute mesure que par son agilité à parvenir, et notamment à se glisser auprès des puissants. Il avait choisi de faire de son véritable prénom un patronyme biblique d'emprunt. On l'appelait Jean Joël. À la faveur de deux interviews retentissantes arrachées autant par l'obstination que par la chance à Fidel Castro et au jeune président des États-Unis qui serait assassiné à Dallas, il était devenu l'un des journalistes les plus en vue du pays, en un temps où cette profession passait encore pour intellectuelle et n'était pas encore entièrement couverte d'opprobre. Il n'avait cependant pas attendu cette célébrité pour aimer à s'enivrer publiquement de lui-même dans des proportions extravagantes qui, tout au long de son futur règne, alimenteraient d'inlassables saillies chez ses subordonnés, autant que chez ses amis.

Le séducteur patron de *L'Express* qui, pas davantage que lui, ne connaissait de bornes à ses désirs d'affirmation, avait fini par le prendre en grippe. Quoique convaincu de ses qualités hors normes, il le poussa vers la sortie. « *Tout le monde va penser que je suis fou* », confia alors Servan-Schreiber, qui exigeait ni plus ni moins que le départ de celui que chacun tenait pour l'homme le plus talentueux du journal. C'est ainsi que le prodige venu de Blida l'andalouse, en Algérie, tout gonflé de son importance, s'était retrouvé, avec quelques autres transfuges, à faire main basse sur la petite équipe politiquement puritaine de *France Observateur*, qu'il ne tarderait pas à vider entièrement de sa substance pour refonder sur ses vestiges un tout nouveau journal, complètement à sa main. Un personnage avait aidé le quadragénaire mégalomane dans ce rapt de l'organe même de toute la gauche intellectuelle.

Il s'appelait Claude Rossignel. Amateur de Jaguar et de jolies femmes, ce chef d'entreprise diplômé de l'École polytechnique exerçait la fonction peu séduisante de président fondateur de la Société Française d'Assainissement. Inventeur de toilettes chimiques révolutionnaires dont sa fortune entière allait surgir, il avait à cœur de donner à son ascension parisienne un lustre que son métier de base, proche de celui d'un vidangeur de fosses à purin, ne permettait guère. Ainsi la compagnie des écrivains dans le vent et des journalistes à posture l'enchantait-elle. Sa rencontre avec le journaliste qu'on disait avoir été le voisin de bureau d'Albert Camus durant deux trimestres à *L'Express* fut une révélation. Avec lui, le Cyrano des Sanibroyeur se dit qu'il tenait son aimable Christian, le premier rôle du journal qu'il rêvait de lancer depuis des années déjà lorsque, adolescent, il confectionnait de fausses unes de *Combat* et de *France-Soir*. De ce nouveau titre de presse, il entendait être l'ingénieux metteur en scène en même temps que le régisseur intraitable, faute de pouvoir enflammer lui-même le parterre. Ce serait «l'Obsolète». Cinquante ans plus tard, les deux tyrans qui le fondèrent se comportaient comme deux anciens amants qui savent encore se blesser à mort, mais se couvrent mutuellement de chatteries en cas d'intrusion extérieure dans leurs affaires. Cinquante ans plus tard, ils se disputaient évidemment sans relâche la véritable paternité du journal.

Apparemment engagé, et sourcilleux sur les principes, « l'Obsolète » ne prenait en réalité que des risques très calculés, qui allaient toujours dans le sens des courants dominants. Au milieu des années 60, ceux-ci poussaient avant tout vers la libération sexuelle et l'aspiration à la sophistication intellectuelle. C'était le temps du « *troupeau féroce et lâche des enfants de la liberté* », écrira Curzio Malaparte. Le temps des minijupes et des interviews de théoriciens structuralistes, dont les journalistes qui les réalisaient ne comprenaient le plus souvent pas un traître mot. Derrière une façade soucieuse des grands fracas du monde, le journal était pour l'essentiel à l'image de l'homme qui en dirigeait la rédaction. Jouisseur plus que penseur, courtisan plus qu'impertinent, indulgent sans restriction aucune à l'égard des puissants, impitoyable sans vergogne envers les petits à son service. Les idées, s'il les aima sincèrement, avec une curiosité jamais démentie, ne cessèrent cependant jamais pour cet homme d'être avant tout des faire-valoir, le prétexte à d'indolents badinages, entourés de flagorneurs chevronnés, faisant assaut de compliments qu'on ne pouvait écouter, même des années plus tard, sans éclater intérieurement de rire.

Très tôt il avait été attiré par la philosophie, mais celle-ci s'était toujours inflexiblement refusée à ses avances. Ainsi qu'il me le raconta à plusieurs reprises un demi-siècle plus tard, encore meurtri par cette évocation, un professeur de terminale indélicat lui avait un jour dit qu'il ne l'imaginait pas « *créer des concepts* ». Aussi le jeune Jean

Joël préféra-t-il d'emblée se retirer du jeu, avant même d'avoir engagé sa mise. La lecture de la *Phénoménologie de l'esprit* de Hegel lui avait aussi, semble-t-il, laissé un souvenir cuisant. Ce qu'il aurait aimé surtout, il ne s'en cachait pas, c'était pouvoir se prévaloir d'une agrégation de philosophie, mais pour cela il eût fallu accepter de se perdre pour quelques années dans des terres de haute solitude, se laisser brûler par le feu des textes, s'oublier un temps pour renaître autre, pourquoi pas meilleur ; or de cela il était tout à fait incapable.

Dès le premier numéro de « l'Obsolète », l'entretien de Jean-Paul Sartre monté à la une ressemblait plus à un produit d'appel prestigieux qu'à une quelconque déclaration d'intention. Celui-ci établissait en effet un programme que le journal s'empresserait de contredire à l'avenir point par point. Au soir de sa vie, le philosophe le plus célèbre de son temps, véritable gloire planétaire, y affirmait que le rôle de la gauche aujourd'hui devait être d'organiser une contre-offensive visant la société du commerce, de l'industrie et de la propagande. Sartre citait également l'icône cubaine Che Guevara : « *Ce n'est pas ma faute si la réalité est marxiste.* » Autant de phrases que « l'Obsolète », animé d'une haine viscérale du communisme, peut-être la seule conviction à laquelle Jean Joël resterait fidèle jusqu'au bout, n'avait pas pu imprimer sans sourire, même à cette époque là. L'éditorial du directeur de la rédaction invoquait par ailleurs des déchirements au sein de la gauche. Une gauche au chevet de laquelle, comme aujourd'hui, chacun venait se pencher, et que Sartre lui-même avait qualifiée quelques années auparavant, dans la préface à un livre de Paul Nizan, de « *grand cadavre à la renverse où les vers se sont mis* ».

« *Notre ambition est d'aider la gauche à se trouver* », affirmait ainsi le fondateur Jean Joël, « *en favorisant des débats, en ne refusant aucune analyse et aucune information gênantes pour nos principes* ». Un programme, là encore, qui semblait avoir été écrit comme pour plaisanter. À « l'Obsolète », des années plus tard, publier une information fâcheuse pour une quelconque puissance, que celle-ci soit politique ou simplement culturelle, c'était s'exposer à de sérieux ennuis, à des campagnes de déstabilisation interne parfois longues et pénibles, à des lâchages publics souvent éhontés de la part de sa hiérarchie. À « l'Obsolète », tenter des analyses intellectuelles hors des trivialités bon teint de centre gauche, c'était s'exposer à des avanies pires encore. Aussi surprenant que cela puisse paraître, le secteur des idées était de loin l'un des plus cadenassés. L'un des plus férocement surveillés et aussi des plus réprimés. C'est sur ces matières dangereuses que je fus rapidement amenée à travailler, une fois entrée au journal. C'est aussi là que je fus acculée, puis liquidée.

3
Le Narcisse de Blida

Si en des temps d'imposture universelle, dire la vérité est en soi un «*acte révolutionnaire*», selon le propos de George Orwell, il est certain que «l'Obsolète» n'était pas un lieu possible pour ce genre de révolution. L'avait-il été un jour? C'est peu probable. On ne change pas. Des éléments, des failles de la personnalité, toujours les mêmes, font dévier toujours plus profondément un parcours. Jusqu'à parfois le rendre si hideux qu'il semble en tout point dissemblable, voire même contraire à ce qu'il était à l'état naissant. En réalité cette impression est fausse, provenant de la difficulté à envisager avec une attention continue de vastes blocs de temps. Tout est le plus souvent là, dès l'origine.

Il faut regarder aujourd'hui certains passages télévisés anciens de Jean Joël pour comprendre le genre de pontificat qu'il exerçait alors sur l'intelligentsia française et dont, impitoyable travail du temps qui inlassablement élimine la fausse monnaie, le souvenir lui-même a fini par se perdre. Vraiment, il fut le pape médiatique de toute la gauche, à l'époque même où celle-ci n'avait pas encore entièrement renoncé à peser sur le cours des choses, et ne se résumait pas encore à de vagues postures bien intentionnées, dépourvues de toute conséquence. Face à Alexandre Soljenitsyne, témoin alors révéré du goulag, on peut ainsi le voir sur le plateau de la plus célèbre émission littéraire française, en 1975, vêtu du costume en velours typique de l'intellectuel sartrien qu'il ne fut jamais, le front soucieux, légèrement tassé à l'arrière de son siège. Comme engoncé dans sa propre gloire, Jean Joël prend la parole pour regretter qu'aucun membre du Parti communiste ne soit présent afin d'apporter la contradiction à l'ancien zek, déporté huit années durant pour avoir remis en question les talents militaires de Staline dans une correspondance privée. Bras armé dans la presse de gauche d'un anticommunisme virulent, Jean Joël ne rougit donc pas ce jour-là de faire la leçon à la puissance invitante au nom du PC, et de prendre l'apparent contre-pied de l'écrivain russe. Un peu plus tard, en cours d'émission, il finit néanmoins par se prosterner devant ce dernier, tout en ayant au passage veillé à souligner que, quoique patron de « l'Obsolète », il compte quelques amis dans le camp de ses adversaires rouges.

Ce genre de contorsions, qui allaient parfois jusqu'à rendre le propos inintelligible, était en vérité l'un des traits les plus frappants chez cet esprit sinueux. Cela témoignait du reste moins chez lui d'un goût pour la complexité que d'un désir de cour, celui de se mettre en position de distribuer souverainement courbettes et coups de griffe, mais plus encore de toujours laisser ouverte la possibilité d'une volte-face, d'un changement de pied, d'un retournement complet de position. Dans ces exercices-là, il était sans égal. Son verbe subtilement fielleux, lorsqu'il conduisait par exemple une réunion, pouvait à juste titre inspirer à son auditoire une réelle admiration.

Un autre passage télévisé, datant du milieu des années 80 celui-là, révèle un total changement de climat dans le pays. Si les mines graves ne sont plus de mise, les leçons de morale, elles, reprennent de plus belle. Le grand commandeur de «l'Obsolète», s'acheminant vers la fin de la soixantaine, bronzage épanoui et invraisemblable sourire de chattemite accroché aux lèvres, s'y livre à un numéro d'inquisiteur de gauche anti-libéral à couper le souffle. Face à lui, l'éphémère rédacteur en chef de *L'Express*, nommé par Jimmy Goldsmith, richissime homme d'affaires anglais qui venait de racheter le journal où Jean Joël avait fait ses classes. Ce dernier s'élance. Il s'inquiète d'une éventuelle *«mise au pas»* idéologique de ses confrères de *L'Express*, et encore que l'on puisse désormais exiger de ces derniers une véritable profession de foi en faveur du libéralisme économique. Il fait également mine de s'alarmer de la collusion objective entre le propriétaire de *L'Express* et le nouveau gouvernement – la cohabitation entre François Mitterrand, vieux président superficiellement socialiste, et Jacques Chirac, leader d'une droite anciennement gaulliste, venait à peine de commencer. Il rappelle l'hostilité de son propre journal à *«une certaine idéologie sécuritaire, qui met en péril la police»*. Contre les coups de matraque, «l'Obsolète», mais afin de protéger la sûreté des policiers. Contre l'excès de répression, mais afin ne pas compromettre l'ordre. À cette seule réflexion, on mesure à quel point la gauche est déjà en train de muter, et l'on peut même pressentir qu'un jour les gardiens de la paix y seront sans pudeur préférés à la défense des libertés. Le débat télévisé face au temporaire homme de paille de *L'Express* s'achève sur un verdict qui, des années plus tard, ne peut manquer de faire sourire : « *Je redoute un État musclé au service de l'entreprise* », affirme gravement Jean Joël. Trente années plus tard, en 2016, le même homme jetterait ses dernières forces dans la défense d'un gouvernement socialiste autoritaire, gérant empressé des intérêts capitalistiques les plus obtus, et infailliblement voué à finir à la décharge, après avoir écœuré jusqu'au dernier carré de ses électeurs.

Avait-il changé, le Narcisse de Blida, à travers toutes ses métamorphoses ? Là encore, force est de le nier. Toute sa vie il avait pioché dans le même sac de farces et attrapes rhétoriques, toujours visant au même but : prospérer sur les apparences de l'engagement, en évitant toujours de s'engager fermement en faveur de quoi que ce soit, si ce n'est en faveur du maintien de l'ordre existant qui avait fait de lui le roitelet de son temps. À son propre sujet, il ne manquait du reste pas de lucidité. Sa vanité proverbiale pouvait alors parfois se teinter d'ironie à l'égard de lui-même, ce qui pouvait avoir un grand charme, et déstabiliser favorablement ses interlocuteurs. Il avait suffisamment croisé d'écrivains véritables et de politiques dignes de ce nom pour savoir que, un jour, tout ce qu'il avait fait, tout ce qu'il avait cru penser, tout ce qu'il avait manœuvré, serait oublié. « *Je ne crois pas que je laisserai quelque chose à la postérité* », se plaisait-il parfois à dire. Il en souffrait en réalité, comme un damné, et sans doute est-ce la raison pour laquelle, à quatre-vingt-dix ans passés, il ne pouvait se résoudre à quitter «l'Obsolète» pour regarder pousser une roseraie ou refondre le lexique de ses œuvres complètes.

Comme ces vieux patriciens décrits au Ier siècle après J.-C. par Sénèque, qui s'acharnaient à exercer leur office, faute de pouvoir rester seuls avec eux-mêmes, Jean Joël ne pouvait admettre le passage du temps. Dès qu'il lui tournerait le dos, il sentait que celui-ci le faucherait infailliblement, effaçant jusqu'à son souvenir. Les signes avant-coureurs de ce désastre, il ne les connaissait que trop bien. Fut un temps où il se plaignait avec mélancolie que, dans les couloirs de «l'Obsolète» des années 2000, les nouveaux arrivants, soutiers du web ou aspirantes du service mode, ne le reconnaissent pas. Aujourd'hui, ils ignoraient jusqu'à son existence.

Rester au journal dans ces conditions, c'était se rendre odieux. Partir, c'était disparaître. Entre ces deux maux, il avait opté pour le premier. Ainsi, l'ancien virtuose du journalisme s'humiliait-il souvent à des suggestions d'articles vieillottes ou hors de propos, et importunait-il sans relâche des rédacteurs en chef débordés qui se riaient impudemment de lui dans son dos. Quand il n'y avait plus aucun autre moyen d'exister, il en venait à blesser ceux qui, comme moi, étaient les mieux disposés à son égard. La méchanceté avait toujours été son véritable don. L'impuissance à agir l'avait littéralement décuplée. Jusqu'à un âge avancé, ses coups de patte étaient encore terribles. Moins précis qu'auparavant, ceux-ci manquaient fort heureusement le plus souvent leur cible.

4

La domesticité publique

On ment beaucoup sur le métier de journaliste. L'un des plus honnis, et en même temps des plus enviés qui soient. Toute une nuée de ressentiments l'accompagne, pointant la servilité inhérente à ceux qui l'exercent, leur collusion odieuse avec les pouvoirs, leur façon de chasser en meute, leur inconsistance aussi. La réalité est pire encore. Rien n'oblige au fond le journaliste à devancer les opinions grégaires, à mordre là où il faut, à anticiper les attentes supposées des maîtres d'une rédaction, ni de ceux qui les manœuvrent, plus haut encore. Et pourtant, la plupart le font. Comme un seul homme, sans qu'aucun ordre n'ait à être formellement donné. Souvent je me suis demandée comment une telle chose, un rêve de législateur fou, était simplement possible.

Tout repose en réalité sur la qualité du recrutement des troupes. En quinze ans, un directeur de la rédaction aguerri peut littéralement paralyser un corps collectif, le priver de ses nerfs, saper toute sa capacité de résistance, y rendre l'intelligence odieuse, l'originalité coupable, la syntaxe elle-même suspecte. Il peut y changer entièrement la nature des phrases qui sortiront de l'imprimerie. Pour cela il faut être extrêmement rigoureux dans la sélection des pousses. Rejeter tout individu qui aura montré une forme quelconque d'insoumission ou de nervosité face à un ordre, fût-il aberrant. Le jeune journaliste doit déjà avoir la souplesse du vieux cuir. Il ne doit nullement s'émouvoir de voir son texte entièrement massacré et recraché à la hâte par un chef de service notoirement sans aptitudes. L'art de recruter requiert également de tenir pour foncièrement louche l'attention extrême de certains à la langue. Adopter la même circonspection face à l'excès de compétence dans certains champs, que ce soient les nouvelles technologies, la géopolitique ou bien la vie des idées, qui peut occasionner des scrupules à écrire des inepties simplificatrices, et entraîner des perturbations difficiles à évaluer.

Repérer aussi les points d'opinion susceptibles de se solidifier à l'avenir et de faire verser une trajectoire dans l'hérésie incontrôlable. Au besoin, clarifier les choses par des questions sans ambiguïté sur le référendum sur la Constitution européenne qui déchira la France en 2005, scrutin au cours duquel le peuple et les médias divorcèrent définitivement. « L'idéal européen » fournissait encore, Dieu merci, un moyen grossier, mais presque infaillible, de repérer la capacité de l'impétrant à avaler n'importe quelle fable officielle et à la propager. Au minimum, exiger une condamnation implicite du « mélenchonisme », vicieuse hérésie socialiste surgie à la fin des années 2000, qu'on ne pouvait évoquer dans un journal comme il faut sans l'ironie publique de rigueur, voire même l'ostentation d'un profond dégoût.

Dans le doute, ne pas se laisser attendrir: éliminer directement. Si le criblage est bien fait, vous obtiendrez ainsi au fil du temps, en lieu et place d'une rédaction nervurée et vivante, une sorte de Léviathan entièrement mou, qui vous obéira en tout point, sans même avoir à élever la voix. Les pieds sur le bureau, vous n'aurez qu'à grommeler un commentaire à demi articulé, et l'on vous comprendra aussitôt.

Ce n'est pas encore tout à fait dans cet état que j'avais trouvé «l'Obsolète» en y entrant, mais la grande mutation était déjà en cours. La règle qui présidait au recrutement de la troupe était déjà en place, mais un peu de ruse permettait encore de la contourner. Le travail de l'écumoire n'était pas achevé. Des individualités authentiques peuplaient encore les premiers *open spaces*. Une légende du journalisme pouvait s'enorgueillir de plusieurs condamnations pour offense au chef de l'État, qui dataient de l'époque héroïque de *Combat*, et avait à son actif des centaines de papiers spirituels, parfois génialement bidonnés dans des fumeries d'opium ou divers hôtels borgnes du Maghreb. Le caractère de feu d'une grande reporter pouvait encore se donner libre cours en réunion publique contre l'entre-soi machiste et irrespirablement bourgeois de ces messieurs. Mon propre voisin de bureau était un proustien à l'esprit mordant, pianiste hors pair et auteur du traité de référence sur la ponctuation aux éditions Gallimard. Toutes sortes de personnages insensés, impossibles à normaliser, pouvaient encore circuler dans les couloirs de «l'Obsolète», où la joie des mots était une valeur partagée. Telle phrase qui avait enchanté vos confrères pouvait entrer dans la mémoire collective pour des années. Il y avait une certaine douceur à vivre alors dans ce qui ressemblait encore à un journal, même s'il était difficile d'ignorer que les lumières de la fête étaient en train de s'éteindre les unes après les autres.

Pourquoi avais-je voulu devenir journaliste ? Car il est certain que j'avais vraiment voulu l'être, et même depuis longtemps, sans pour autant avoir jamais été trop dupe, me semble-t-il, des légendes avantageuses sur le « devoir d'informer », la nécessité de porter la plume dans la plaie, et autres mystifications qui me mettent aujourd'hui encore mal à l'aise.

« Bonne qu'à ça », me disais-je, moi qui me sentais en sécurité dans l'écriture comme dans une forteresse, et qui repoussais depuis toujours le spectre de l'enseignement à perpétuité. La plupart des écrivains que je révérais portaient pourtant un regard terrible sur le journalisme, activité louche, à laquelle la prostitution ou l'usure semblaient de loin préférables. « *Encore un siècle de journalisme et la langue elle-même puera* », écrivait Nietzsche, sans parler de Debord, pour qui les journalistes étaient ni plus ni moins que les intouchables de son temps. Les mots les plus durs revenaient toutefois à Baudelaire qui, en quelques phrases définitives de *Mon cœur mis à nu*, déclarait que les directeurs de journaux, comme les fonctionnaires ou les ministres, pouvaient être quelquefois des êtres estimables, mais que par nature ils étaient voués à demeurer des « *personnes sans personnalité, des êtres sans originalité, nés pour la fonction, c'est-à-dire pour la domesticité publique* ». Il est vrai que pour lui seuls les poètes, les prêtres et les soldats pouvaient prétendre sur terre à échapper au fouet.

Bizarrement, même des années plus tard, alors que j'étais montée successivement en grade dans la hiérarchie de deux grands journaux, ces attaques qui auraient dû me meurtrir, en ce qu'elles disqualifiaient tout de même le cœur de mon activité quotidienne, avaient toujours suscité ma plus grande joie. « *S'en prendre au journalisme quand on est soi-même journaliste, c'est tout de même un peu con* », m'avait un jour opposé un directeur de la rédaction de « l'Obsolète », excédé par mon compte-rendu élogieux d'un livre assassin pour la corporation. Tel était l'exact contraire de mon point de vue. Après tout, George Orwell et Karl Kraus avaient eux aussi été journalistes, certains d'accomplir une mission importante à travers cet exercice, et néanmoins ils assassinaient inlassablement leurs pairs, dont ils dépeignaient avec cruauté la comédie de propagandistes du néant. Sans doute est-ce d'ailleurs ce genre d'exemples-là qui me consola, durant toutes ces années, de la réalité vécue auprès des diplômés sans relief d'écoles de journalisme de mon temps. Preuve peut-être que j'étais plus torturée que je ne voulais l'admettre par l'opprobre qui pesait sur le métier que je m'étais choisi.

La réalité de celui-ci était plus navrante encore que ce que les plus acharnés adversaires des médias contemporains pouvaient en imaginer. Au départ de ce métier était une blessure morale, je ne saurais le dire autrement. Celle-ci consistait à vendre ses mots pour en obtenir une reconnaissance immédiate, parfois déconcertante de facilité, mais jetable, passagère, peu consistante au total. Sans avoir encore jamais rien accompli vous-même, rien prouvé, rien démontré, en trois feuillets et deux bons mots, vous pouviez ruiner une réputation. Faire maudire la vie à un homme. Abattre jusqu'à trois années de besogne acharnée sous la lampe. Cette impression-là, en soi, était profondément corruptrice. Or il était impossible de ne pas en être saisi dès lors que vous rejoigniez la presse écrite, notamment dans le domaine de la critique culturelle. On vous mettait entre les mains le livre à paraître d'un auteur, vous l'encensiez, ou vous l'exécutiez. Si vous souhaitiez percer vite, échapper à des années de prolétariat intellectuel à la pige, la seconde solution pouvait s'avérer dangereuse, mais elle était souvent d'une efficacité redoutable. « *Soyez dur et spirituel pendant un ou deux mois* », ainsi que le débutant Lucien de Rubempré se l'entendait dire sous la Restauration.

À la sortie d'une vie étudiante obscure et monotone, soudain vous étiez alors recherché, redouté, et le ventre de la vie parisienne s'offrait entièrement à vous. Vous étiez, disait encore Balzac, « *à la veille de devenir une des cent personnes privilégiées qui imposent des opinions à la France* ».

5
«Vous nous avez réveillés»

C'est en 2000 que je suis entrée à «L'Obsolète», et sur l'essentiel rien n'avait changé depuis ce temps-là. En quelques mois, le chef du service culture, figure influente de la presse, m'y avait ouvert grand les portes. Tous les auteurs prestigieux étaient à portée de téléphone, toutes les fêtes à portée de main, tous les services de presse couraient alors encore après le moindre journaliste du vieil hebdomadaire, et un écrivain noctambule, auteur d'un best-seller contre le monde de la publicité, m'avait appelée durant l'été, se proposant de me «lancer» dans l'émission télévisée qui venait de lui être confiée.

Dès la première rentrée littéraire, un incident étrange avait toutefois failli me coûter cette situation prometteuse. L'assassinat que j'avais commis, en pleine rentrée littéraire, d'un académicien faiseur de best-sellers du *Figaro* avait soulevé un véritable torrent d'indignation chez les dirigeants de «l'Obsolète». Avant même sa parution, en contravention avec toute bienséance professionnelle minimale, une main anonyme avait envoyé mon article sur le fax même de l'écrivain qui, l'été venu, accueillait le Tout-Paris dans sa maison de la baie de Saint-Florent en Corse. L'académicien au regard lavande était la figure tutélaire du grand quotidien de la droite, mais il était aussi l'intime de toute la gauche d'emprunt qui faisait alors la pluie et le beau temps dans le grand hebdomadaire où le sort m'avait placée. Ainsi que je n'allais pas tarder à le comprendre, ce genre de méli-mélo politique était la chose la plus commune qui soit, et le simple fait de le remarquer, ne parlons même pas de s'en indigner, vous faisait à l'instant passer pour une illuminée qui un jour finirait sa vie au désert.

C'est dans le même esprit que les patrons des trois plus grands hebdomadaires français, «l'Obsolète», *Le Point* et *Marianne*, qui toute l'année faisaient mine de s'empailler sur les tréteaux comme des marionnettes batailleuses, passaient tous leurs Nouvels Ans à festoyer ensemble. Tantôt dans l'hôtel particulier de Saint-Germain-des-Prés qui appartenait à l'un d'entre eux, tantôt dans leurs datchas respectives de la côte normande, qu'ils avaient achetées à proximité tant leur symbiose était totale et ne s'embarrassait nullement d'obstacles idéologiques.

Tous ces trafics s'effectuaient bien sûr à l'extinction des spots, dans le dos du public, qui, lui, croyait dur comme fer à l'authenticité de leurs incompatibilités, à leurs coups de colère simulés, à l'existence de courants d'idées opposant réellement les leaders médiatiques du pays. La chose était d'autant plus stupéfiante à remarquer dans le cas de *Marianne*, fer de lance de la dénonciation de «*la pensée unique*» depuis la fin des années 90.

La proximité entre tous ces personnages, lorsqu'elle vous était révélée, donnait le sentiment puissant que la presse, sous son apparence de diversité, n'était qu'une même nappe phréatique de certitudes communes, d'intérêts puissamment liés, de visions en réalité semblables, qui prenaient le soin de se partager en différents fleuves dans les kiosques, seulement pour les besoins du commerce, et l'amusement de la galerie. La réalité du milieu entier tenait dans cette promiscuité-là. Celui qui s'en étonnait était sur la mauvaise pente, celui qui la refusait, déjà une sorte d'ennemi. Tout en affichant des sympathies de gauche indéfectibles, il avait ainsi toujours été de bon ton à «l'Obsolète» de ménager en sous-main les ultras de la droite, ceux du moins qui étaient susceptibles de nuire ou de rendre différents services.

C'est dire si ma descente du livre de Mémoires en effet pitoyable de l'académicien, vibrante de mépris et aussi, faut-il le dire, d'innocence, avait été jugée incongrue dans les hauts étages du Journal. Vingt quatre heures durant on me donna même sortante, et non sans dépit, j'avais commencé à ramasser mes effets personnels. Une poignée de stylos, quelques livres, deux ou trois cartes postales. C'est alors que Jean Joël, selon un rite qui allait devenir commun entre nous au fil des années, me fit appeler au téléphone et déclara, à la surprise générale, que je serais relevée de mes péchés. Une assistante me transféra la communication du grand mamamouchi, dérangé sur son luxueux lieu de vacances marocain pour arbitrer l'affaire, et celui-ci me dit en substance qu'il ne fallait pas songer à publier l'article en l'état, mais qu'il fallait en revanche sans doute en embaucher l'auteur. «*Vous nous avez réveillés,* souffla-t-il ce jour-là à la débutante pétrifiée derrière le combiné. *Nous nous étions assoupis dans une complaisance sans doute coupable, et vous êtes venue. Je souhaite faire votre connaissance dès mon retour à Paris.* » L'article serait publié la semaine d'après, dans une version bousillée en personne par un des proches historiques du grand homme. Le même qui, un quart de siècle auparavant, traquait impitoyablement les éléments droitiers susceptibles de s'être infiltrés au sein des troupes du journal, et s'était désormais reconverti en cireur de parquets pour académicien du *Figaro*.

« *Vous nous avez réveillés* », cette phrase comment ne pas l'écrire avec une émotion particulière, quinze années après cet été-là. Entre-temps le fondateur de « l'Obsolète » m'aura souvent lâchée, avant de me relever, puis de m'accabler à nouveau, et de recommencer à m'enjôler inexplicablement de douceurs. Sans doute m'aura-t-il aimée, mais si peu comprise au total. Au bout du compte il aura choisi d'offrir son prestige déclinant à une coalition d'hommes d'argent et de managers illettrés, saccageurs de ce journal d'idées qu'il avait fondé il y a plus de cinquante années. À la demande de ceux-ci, il se sera fait l'auteur d'une tribune publique déshonorante dans *Libération*, justifiant un licenciement unique dans l'histoire de « l'Obsolète ». Sans la moindre pudeur il se sera couché devant les nouveaux maîtres, artisans de la destruction définitive de l'œuvre de sa vie. On ne se lasse pas de méditer sur les causes d'une défaite humaine aussi totale.

Dans l'unique lettre qu'il m'a envoyée durant ces événements, le vieil homme se plaint d'avoir été dépossédé de la direction des pages idées du journal par mes soins, et évoque « *la dimension politique* » que j'aurais introduite en contrebande dans sa pratique du journalisme intellectuel. À la personne qu'il regarde sans émotion partir à Pôle emploi en plein sinistre de la presse, il va jusqu'à reprocher une « *désastreuse blessure faite à notre journal* ». Il y a quinze ans, je les avais réveillés. Aujourd'hui, je les avais blessés.

6
Le meilleur des systèmes

De quelle nature était cette énigmatique blessure infligée à «l'Obsolète»? Pour le comprendre, sans doute faut-il commencer par décrire dans quelle duplicité politique stupéfiante ce journal avait fini par tomber au fil des ans. À l'image du Parti socialiste en voie de putréfaction à qui ce journal servait de miroir, et qu'il semblait s'être donné pour absurde vocation d'accompagner jusqu'à sa chute finale, le journal veillait, plus que sur tout autre mensonge, à protéger celui que la gauche entretenait sur elle-même.

Alors que celle-ci, depuis les années 80, s'était délibérément vendue au capitalisme financier, accompagnant le démantèlement des services publics, couvrant la dérégulation des marchés, et portant des banquiers d'affaires jusque dans les ministères, le travail d'usinage idéologique nécessaire pour dissimuler l'ampleur de la forfaiture était de plus en plus malaisé, demandant des individus puissamment clivés, doté d'un système nerveux très particulier. Officiellement, le journal était encore

« *d'inspiration sociale-démocrate* », ainsi que le stipulait la « Charte » qu'on faisait signer aux nouveaux entrants avec leur contrat de travail, mais nul n'aurait su dire exactement ce que pouvait encore recouvrir un tel mot, alors même que d'anciens ministres de François Mitterrand reprochaient à leurs successeurs aux affaires de piétiner toutes les conquêtes sociales du pays, et de travailler vicieusement contre leur camp et toute son histoire.

Lorsque j'étais revenue à « l'Obsolète » au printemps 2014, après l'avoir quitté quelques années pour entrer à la direction du journal *Marianne*, un funeste avertissement m'avait été donné concernant l'état de délabrement dans lequel j'allais retrouver les esprits. Ce signe-là était venu de l'un des rédacteurs en chef, celui qui était en charge de la politique, et qui vouait un culte martial au Premier ministre qu'on entendait alors aboyer sur toutes les ondes du pays. Au cours d'une discussion collective concernant un journaliste de la maison saisi de lubies xénophobes parfois embarrassantes, ce rédacteur en chef, qui se piquait d'être un comique, avait lâché triomphalement : « *On n'est jamais trop à droite à l'Obsolète* ». Toute la table de la direction avait éclaté d'un rire gras, plein de sous-entendus écœurants. Ce qui était terrible, c'est que ce n'était pas le moins du monde une boutade. Ce qui était terrible, c'est que la chose était devenue un simple état de fait, et même un programme.

Ainsi « l'Obsolète » en était-il venu, au fil du temps, à se servir directement dans les rangs du *Figaro* quand il s'agissait de garnir son service économie. Ou dans des magazines illustrés fièrement néolibéraux comme *Le Point*, qui avaient, eux au moins, le mérite de ne pas mentir sur ce qu'ils donnaient à manger à leurs lecteurs, et dont les affaires s'en portaient nécessairement mieux.

Avec les recrues issues de la droite, pas de mauvaises surprises, on pouvait dormir sur ses deux oreilles. Il ne serait jamais arrivé à ce genre de rédacteurs de nourrir de mauvaises pensées à l'égard des politiques de la Banque centrale européenne. Ou de défendre les pays du Sud qui se rebiffaient les uns après les autres contre les plans d'austérité en passe de ruiner leurs démocraties. Avec eux, nul risque non plus de voir éventer la mystification de la « politique de l'offre » socialiste, en train de remplir les caisses du patronat sans créer un seul emploi. Lorsqu'un événement jetait le trouble dans leur système de pensée, ils choisissaient tout simplement de ne pas le traiter. C'est ainsi qu'il fallut quasiment se fâcher, à l'été 2015, pour obtenir qu'on pût commencer à lire, dans « l'Obsolète », quelques timides premiers papiers sur la coalition de la gauche radicale qui avait pris le pouvoir six mois auparavant en Grèce.

Plus généralement, les éléments issus des services économie étaient extrêmement bien cotés, et pouvaient monter très haut dans la hiérarchie des rédactions. Il était même tout à fait remarquable de voir à quel point ceux-ci avaient colonisé la tête des principaux journaux depuis les années 90. On les avait bien formés, ceux-là, aux phrases courtes, aux pensées simples et pragmatiques, au court-termisme historique qui dispense de voir certaines déformations conceptuelles de longue période à l'œuvre. À la haine de la complexité intellectuelle, avant toutes choses. Oui, vraiment, ces gens présentaient toutes sortes d'avantages. Il fallait toutefois demeurer vigilant, car, aussi raisonnables soient-ils, certains pouvaient encore avoir des velléités d'émancipation.

Ainsi, au cours d'un épisode particulièrement coloré de l'histoire du journal, une journaliste notoirement douée, issue de l'école HEC, peu connue pour être un incubateur à marxistes-léninistes, s'était-elle trouvée dans le viseur du PDG de « l'Obsolète ». Alerté par certains de ses papiers, qui semblaient témoigner d'une certaine lucidité à l'égard du scénario de la mondialisation heureuse encore vanté par les aruspices officiels, Claude Rossignel avait imaginé lui faire signer, avant de la recruter définitivement, une sorte de document où elle s'engagerait à tenir l'économie de marché pour « *le meilleur des systèmes* ». Les instances représentatives du journal s'en étaient cette fois émues et avaient réussi à mettre un terme à la manœuvre avant que celle-ci ne s'ébruite trop en ville.

Ainsi « l'Obsolète » qui, en 1965, exigeait de tous les candidats à l'embauche une condamnation sans appel des interventions américaines au Vietnam et à Saint-Domingue, était-il devenu en 2005 ce périodique où l'on cherchait à extorquer d'insensées professions de foi capitalistes à de jeunes journalistes. Une chose n'avait pas changé toutefois en quarante ans, c'était la volonté de s'introduire dans les consciences pour prévenir les opinions coupables, déceler le chancèlement des croyances et traquer les relaps. Un procédé de nature pour le moins stalinienne qui ne laissait pas d'amuser chez ces intransigeants démocrates, défenseurs constamment sur le qui-vive d'un Monde libre qui avait pourtant triomphé de longue date.

7

« Bernard »

Une chose était particulièrement frappante à « l'Obsolète », tout au long des années 2000, c'était cette espèce de libéralisme naïf de guerre froide qui y était encore prôné. Toute expression d'une pensée critique à la gauche de la Fondation Saint-Simon, club de réflexion qui œuvrait alors à acclimater les élites intellectuelles à l'entreprise, toute échappée hors des terres déjà prudemment labourées par Alain Touraine ou Edgar Morin, y étaient tenue pour une frasque doctrinale, voire pour un toboggan vers la Corée du Nord. Le directeur de la rédaction le plus emblématique de ces années-là, Laurent Môquet, connu pour ses aller-retours constants entre le vieil hebdomadaire de la place de la Bourse et le quotidien *Libération*, y veillait en personne. La relecture ligne à ligne des papiers à portée idéologique pouvait prendre plusieurs heures dans son bureau, parfois étalées sur plusieurs jours, le temps de laisser le fautif méditer solitairement ses crimes de pensée, et rogner lui-même ses paragraphes coupables. Parfois l'affaire s'envenimait sérieusement, et c'est alors à un véritable tribunal que vous pouviez avoir à faire face.

Le visage fermé, le directeur vous recevait solennellement dans le bureau à moquette crème fanée du fondateur, encadré de deux directeurs délégués et de quelque directeur adjoint, dont il devenait impossible de croiser les regards dès l'instant où vous franchissiez le seuil. Ce traitement spécial-là, j'y avais déjà eu droit à plusieurs reprises, notamment à l'occasion d'une longue enquête sur les «nouveaux philosophes» parue au début de l'année 2006. Celle-ci actait la fin du règne de ce quarteron d'intellectuels antitotalitaires qui, à la tombée des années 70, avaient réussi la prouesse de démonétiser le marxisme en moins d'une saison à Paris, et les conclusions de mon papier avaient quasiment été qualifiées de «révisionnisme historique» par la direction du journal.

Il faut se représenter la scène. Quatre haut gradés mâles faisant face à une journaliste de base, assise seule sur une chaise, et sommée de s'expliquer sur chaque ligne. La partie était fortement inégale, mais je la jouais jusqu'au bout, comme si l'honneur entier en dépendait, argumentant sur chaque point, interpellant ceux qui fuyaient mon regard, tentant en vain de justifier telle citation de Guy Debord, qui voyait dans la «nouvelle philosophie» une «*idéologie pour cadres*», ou telle référence à Gilles Deleuze, qui accusa ces essayistes dans le vent d'avoir procédé à une mortification de la pensée française peut-être définitive. Ce qui ne laissait pas de me frapper lors de ces séances de tabassage moral dont je sortais exténuée, c'était que l'indécence de la situation ne semblait pas effleurer mes supérieurs. Je me trompe cependant peut-être sur ce point, et sans doute est-ce la raison pour laquelle, plutôt que de me regarder dans les yeux, les commissaires politiques de la démocratie fixaient consciencieusement un point à l'arrière de la salle, ou scrutaient par la fenêtre, de longues minutes durant, les colonnades familières du palais Brongniart.

Ainsi Le Monde libre avait-il lui aussi ses séances d'interrogatoire, ses orthodoxies inviolables, ses austères docteurs de la loi qui, l'index levé, rappelaient par exemple que, trente ans auparavant, un certain écrivain catholique et maoïste, autrefois proche de « l'Obsolète », avait publiquement soutenu les « nouveaux philosophes », et que trente ans plus tard le journal se devait donc logiquement d'assumer leur héritage, aussi entièrement discrédités fussent-ils. Déjà les sépulcres blanchis avaient figé le passage du temps à « l'Obsolète ».

Tout ce pharisaïsme était d'autant plus désespérant qu'il dissimulait bien sûr d'autres intérêts, à la fois moins absurdes, mais aussi moins avouables. L'un de ces rescapés de l'antitotalitarisme mondain, appelé Bernard-Henri Lévy, faisait en l'occurrence régner à Paris une véritable terreur durant toutes ces années, distribuant des brevets de bonne conduite intellectuelle aux uns, appelant les patrons des autres pour les faire sanctionner, usant du train de vie que lui autorisait une fortune paternelle immense pour s'attacher les faveurs de tout un milieu, en enfant gâté qu'il n'avait cessé d'être et qui, à bientôt soixante ans, prenait encore Paris pour son parc à jouets. Les directeurs successifs de « l'Obsolète » rampaient littéralement devant lui. À coups de bristols complices envoyés par coursiers, de flatteries soigneusement calculées, de cajoleries téléphoniques à peine vraisemblables et de luxueux déjeuners au Ritz, ce philosophe Potemkine qu'aucun étudiant de première année ne prenait au sérieux, avait obtenu leur complaisance pour mille ans, et rien, absolument rien, ne devait jamais devoir perturber la parfaite mécanique de cette connivence bien huilée, rien du moins avant certains événements malencontreux qui survinrent à l'aube des années 2010, et sur lesquels il nous faudra revenir.

Dans ce cloaque de la pensée appelé « nouvelle philosophie », il y avait toutefois autre chose encore que la maestria mafieuse à nulle autre pareille de ce personnage pour aimanter les maîtres de « l'Obsolète ». Qu'y avait-il justement, dans ces déclarations emphatiques contre un goulag de longue date disparu, et ne risquant nullement de revenir, qui les attirait tous si infailliblement les uns après les autres ? Il y avait la volonté, par-delà la destruction intégrale du communisme historique, de maintenir intacte la menace que ce dernier constituait, seul épouvantail à même de faire apprécier encore les bienfaits accordés par les démocraties occidentales, qui commençaient déjà à apparaître comme de moins en moins mirobolants. Il y avait aussi le discrédit complet de la question sociale que cette pensée opérait sans la moindre retenue, en traçant une grossière ligne droite entre marxisme et camps de la Kolyma. Il y avait la promesse de pouvoir continuer à être de gauche sans jamais se placer aux côtés du peuple, voire en sermonnant régulièrement celui-ci pour ses penchants supposés à rudoyer les immigrés venus depuis plusieurs générations d'Afrique du Nord.

À toutes ces tâches, la pensée réductrice de « Bernard », ainsi que les plus introduits l'appelaient, s'avérait très utile. Agile entre tous à se mouvoir au milieu du faux, vis-à-vis duquel il semblait comme insensibilisé, on aurait juré en l'écoutant que Staline pointait encore ses orgues vers nos capitales. On aurait juré que le crime léniniste était inscrit au cœur même de toute demande de justice, et ne demandait qu'à en surgir à tout instant, intact et sanguinolent. On aurait juré qu'être un intellectuel progressiste, c'était précisément ne pas craindre de défier le peuple, voire même de haïr librement cette masse obscurantiste de Bidochon, selon le sobriquet donné aux prolétaires dans une série de *Fluide glacial*. Une multitude crasseuse, toujours prête à s'en prendre aux vrais humiliés, aux opprimés du bout du monde, aux Juifs errants. Non, décidément, il y avait énormément de points avantageux dans le système de « Bernard », en résonance avec lequel « l'Obsolète » avait fini par entrer sans la moindre restriction. C'était en fait une pensée intégralement de droite, mais qui permettait de ne rien céder sur les postures de la gauche et de dispenser par le fait un nombre tout à fait remarquable de leçons de morale. Tous les dirigeants de « l'Obsolète » en étaient donc successivement tombés fous, même s'ils affectaient de temps à autre de réprimander son auteur pour quelque broutille, notamment pour sa propension embarrassante à l'auto-adulation.

À Laurent Môquet, elle inspirait régulièrement de véritables chants d'amour. Le fondateur de « l'Obsolète », Jean Joël, avait un jour remercié François Furet et ses amis pour la véritable « *sécurité intellectuelle* » que leur œuvre anticommuniste lui avait prodiguée. Cette sécurité-là, l'actuel directeur du journal la trouvait, lui, auprès de l'auteur de

La Barbarie à visage humain. Après la tragédie, c'était le temps du carnaval. On avait incontestablement dévalé quelques marches intellectuelles dans l'intervalle. Dans un éloge hardi de la « gauche caviar » publié au milieu des années 2000, Laurent Môquet livrait le fond de sa vision des choses, et n'hésitait pas à faire de « Bernard » le modèle même du « *clerc qui n'a pas trahi* ». Les grands bourgeois, et non les prolétaires, étaient le véritable moteur de l'Histoire, s'enthousiasmait-il. Eux seuls avaient en réalité assuré la lente marche vers le progrès social. La pureté ouvriériste et révolutionnaire, elle, n'avait jamais engendré que monstres divers et impuissances en tout genre. Fort heureusement, ces vieilleries-là n'étaient plus qu'un mauvais souvenir. Les nantis socialistes, dont il faisait sans vergogne remonter le lignage jusqu'aux aristocrates qui avaient pris le parti des Lumières, étaient désormais seuls à même de préserver la démocratie, de réformer la société et d'améliorer la condition populaire.

Il entendait d'ailleurs le prouver en s'appuyant non sans effronterie sur le cas de « L'Obsolète ». Quoique surgi de milieux aisés, ce journal prenait clairement « *le parti des pauvres et des opprimés* », assurait son directeur de la rédaction. Une phrase qu'on ne se lassait pas de relire sans parvenir à trouver un seul exemple concret, une seule lutte ouvrière des vingt dernières années, susceptible de l'étayer. Au fondateur du journal, il rendait au passage un hommage appuyé. Il est vrai que Laurent Môquet ne renonçait jamais à dire publiquement tout le bien qu'il pensait de ses patrons, ce qui n'avait jamais nui à sa carrière. Ainsi Jean Joël n'avait-il, selon lui, jamais eu peur de dénoncer les mesures irréalistes prônées par la gauche radicale comme « *un piège tendu aux classes populaires* ». Contrairement à celle-ci, il avait toujours privilégié un réformisme rationnel et responsable. Il était donc tout à fait possible de voir en cet habitué des fastes royaux de Marrakech un authentique défenseur des prolétaires. Un frère des ouvriers à travers les âges, et même un protecteur des humbles face à leurs faux amis bolcheviques.

Le madrigal destiné au fondateur était vraiment tourné à la machine-outil. Où l'on voit, au passage, que l'on osait encore tout à « l'Obsolète », dans ces années-là. Qui aurait pu s'en indigner, d'ailleurs ? La gauche radicale était au fond du trou, en dépit de la victoire du « non » au référendum de 2005, où le journal s'était montré si odieusement partisan du « oui » qu'il y avait laissé de nombreux lecteurs. Les sites Internet hébergeant des impertinences étaient peu développés. Il n'y avait guère que les solides réseaux altermondialistes et bourdieusiens du *Monde diplomatique* pour vous gâcher la douceur de vivre, et de fait leur existence hantait littéralement Laurent Môquet. Quant aux autres titres de la presse, ils étaient presque tous sous la coupe d'amis de la maison, ou d'obligés.

De noirs nuages s'amoncelaient cependant à l'horizon, ainsi que le directeur de la rédaction de « l'Obsolète » ne manquait pas de le noter à la fin de son opuscule. Certes, il reconnaissait quelques erreurs commises par le camp social-démocrate, pas assez soucieux de la montée des inégalités, et un peu trop confiant en ce féerique idéal européen auquel le peuple devenait de plus en plus rétif. Les événements de décembre 1995, occasionnés par une tentative de restructuration libérale de la Sécurité sociale, avaient fait renaître, dix ans auparavant, le spectre d'une gauche de combat, « *destructrice pour la cohésion du mouvement progressiste et néfaste à la modernisation du pays* ». On n'en était encore qu'à l'heure du frisson, cependant. À tout prendre, il était même plutôt bon qu'une sorte d'adversité paraisse ainsi exister au lointain.

8

Dieu vomit les tièdes

On l'aura compris, la vision marxiste du monde, le gauchisme sous toutes ses formes, sans même parler du communisme *stricto sensu*, étaient durement réprimés à « l'Obsolète ». Issue d'une famille vendéenne par mon père, seul de toute sa lignée à avoir obtenu le baccalauréat et contre-révolutionnaire par attache autant que par snobisme, c'est peu de dire que je n'avais nullement cherché, en rejoignant la bergerie socialiste de la place de la Bourse, à y introduire un bacille politique quelconque, *a fortiori* celui de l'extrême gauche à laquelle rien ne m'attachait. Mais j'avais lu cependant, et dans toutes les directions. Devenue agrégée de philosophie trois ans avant d'entrer à « l'Obsolète », j'avais aimé les penseurs les plus contraires, et par-dessus tout Rousseau, dont le style et la radicalité m'éblouissaient. Les plus rudes textes de Marx, nos professeurs nous les avaient fait lamper dès le premier trimestre au lycée Henri-IV. La même année, j'avais lu l'œuvre de Pierre Manent, introducteur du libéralisme politique dans le champ français, impressionnante par son brio et sa clarté. Plus tard, je rencontrerai à plusieurs reprises le discret professeur des « Hautes Études » dans sa maison d'Auteuil, et il me ferait découvrir les écrits de Leo Strauss et de Carl Schmitt.

La pensée de Nietzsche était pour moi la plus puissante, la plus inhumainement subtile, et hormis les Évangiles peut-être, rien ne me semblait devoir être mis au-dessus de la dernière partie d'*Ainsi parlait Zarathoustra*. Tout m'intéressait, de Joseph de Maistre à Gramsci. Seules la fadeur et la mollesse me dégoûtaient, la bonne conscience humaniste aussi, et il était évident pour moi qu'elles n'appartenaient en propre à aucun camp.

« *Être de gauche ou être de droite c'est choisir une des innombrables manières qui s'offrent à l'homme d'être un imbécile ; toutes deux, en effet, sont des formes d'hémiplégie morale.* » Cette phrase de l'écrivain José Ortega Y Gasset exprimait pour moi une évidence indépassable, une vision anthropologique étrangère au « *ni droite ni gauche* » avec lequel les ministres socialistes les plus libéraux essayaient désormais de racoler. Aucune offre politique durant ces années-là, aucun parti ne me semblait détenir la vérité de la situation, aussi votais-je rarement. Il est certain, en revanche, que d'une enfance catholique j'avais conservé un sens de la justice indéracinable. Les grands chrétiens rouges ou paradoxaux, comme Pier Paolo Pasolini et Gilbert Keith Chesterton, m'avaient toujours semblé être les plus anticonformistes des penseurs. À eux allait ma préférence sensible.

La violence du Christ face aux conventions, à la tiédeur, sa façon de choquer le bourgeois de Judée en se mêlant aux bas-fonds de la société, aux pauvres les plus cabossés, aux prostituées, tout cela m'apparaissait comme éternellement neuf. J'éprouvais une vraie aversion pour ceux qui n'étaient capables de sentir face à cela qu'une odeur de sacristie, les militants du parti du Progrès, qui pensaient que l'humanité était résolument en marche vers quelque chose de plus grand, de meilleur. Il était si évident que sur l'essentiel rien n'avait irréversiblement avancé vers le mieux depuis l'origine, et que la liberté dont notre temps se vantait inlassablement n'était qu'un nouveau nœud dans le fouet du maître, désespérante formule de Kafka que j'aimais par-dessus tout.

À peine arrivée à « l'Obsolète », aussi rapide qu'ait pu sembler mon ascension au sein de la maison, j'eus très tôt la conviction que les choses pourraient un jour y mal tourner. On me confia les matières intellectuelles à la suite de Didier Éribon, proche de Michel Foucault, et confident privilégié de Claude Lévi-Strauss dans la presse durant des années. Un journaliste frotté de sociologie dont les derniers moments passés dans la maison avaient été sinistres. Lui aussi avait été poussé au départ, dans des conditions toutefois moins brutales que celles qu'on me réserverait, et à un moment de sa vie où, appelé à donner des conférences sur les campus californiens, la vie au sein de ce journal avait perdu pour lui tout charme et tout sens. Les patrons de « l'Obsolète » le haïssaient. Des railleries homophobes circulaient à son sujet, des mots que la droite la plus abjecte n'aurait pas reniés.

Son lien avec le sociologue Pierre Bourdieu, symbole honni du réveil de la gauche dont le journal n'hésiterait pas à piétiner le cadavre encore chaud à sa mort, en

2002, lui était notamment reproché. Afin de maquiller les inavouables causes de mon éviction au printemps 2016, Jean Joël n'hésiterait pas à s'appuyer sur les dix années que cet homme avait passées à « l'Obsolète » pour prouver l'ouverture d'esprit qu'on ne pouvait contester à la maison, prétendu havre de bienveillance intellectuelle où s'égayaient les raisonnements les plus adverses. C'était un mensonge misérable, Eribon y avait au contraire été dans le meilleur des cas ignoré. Même le grand André Gorz, intellectuel anticapitaliste et écologiste convaincu que le journal eut la chance de compter à l'origine parmi les siens, n'avait jamais pesé véritablement sur la ligne de « l'Obsolète », ni été autre chose qu'une caution de gauche à la marge, que Jean Joël se plaisait au demeurant à tourmenter.

À tout moment il fallait se tenir sur ses gardes à « l'Obsolète ». Dès lors que vous vous efforciez de penser, vous étiez d'une certaine façon en danger. Toujours vous risquiez d'être trop à gauche du catéchisme fixé par les fondateurs, auquel Laurent Môquet avait adjoint ses propres réglementations tatillonnes. Ou bien trop à droite, une pente qui allait toutefois s'avérer de moins en moins sévèrement réprimée au fil du temps. Le plus cocasse c'est que, tandis qu'on me liquiderait un jour pour « extrémisme de gauche », c'est plutôt de « déviation droitière » que je m'étais vue soupçonnée au début. Ma blondeur nordique y invitait aux dires de certains, mes amitiés jugées suspectes aussi. Avec l'écrivain Philippe Muray notamment, alors apprécié de quelques *happy few*. Avec d'autres personnages dans ce genre-là aussi, des esprits libres, en rébellion contre les jobardises du temps, et qui eux aussi durent, à certains moments de leur vie, payer le prix de l'irrévérence.

À «l'Obsolète», on ne l'entendait cependant pas de cette oreille. Ce genre de personnages était aussi honni que Bourdieu avait pu l'être sur le flanc gauche. Avec eux, on ne respectait même pas le temps du deuil – preuve, s'il en était besoin, que l'idéologie fermentait violemment dans les veines de ce journal en apparence si placide. Ainsi la nécrologie de Philippe Muray, brutalement disparu en 2006, que j'avais écrite un dimanche dans un état de réelle douleur tant nous étions en effet devenus proches au fil des ans, m'avait valu l'une des plus pénibles séances de «redressement idéologique» que j'aie jamais eu à affronter.

Le texte ne faisait pas plus de deux feuillets. Il y était question d'arpenter la rue de la Gaîté aux côtés de Muray, d'une poignée de souvenirs de conversations qui seraient bientôt évaporés, de rien de bien coupable en somme. Mais Laurent Môquet y avait vu malignité, et m'avait convoquée. Je n'avais pas clairement informé le public de la nature réactionnaire de cette œuvre, c'était la première faute pointée. J'avais au demeurant usé d'un néologisme pour qualifier l'ennemi du peuple qui venait de décéder: «*écrivain pascalien*». Une expression dont aucune personne normalement constituée ne pouvait entrevoir le sens, me répétait Môquet sur un ton de plus en plus menaçant. Pour conclure, il affirma qu'il était déjà méritoire que nous consacrions de la place à «*un écrivain qui ne vendait manifestement pas beaucoup de livres*», un critère d'importance à ses yeux. Je me devais donc de rectifier au plus tôt les multiples déviances de cet article, avant d'ajouter à mes ennuis. Ce jour-là, faut-il l'avouer, épuisée par l'absurdité de la situation, par l'éternel corps-à-corps avec la médiocrité et la malveillance que m'imposait ce rôle de préposée aux idées dans un journal où elles étaient en fait intensément détestées, les larmes avaient coulé.

Plus tard, les reproches s'inverseraient, donc, et c'est ma supposée adhésion secrète au bolchevisme qui serait inlassablement dénoncée. Curieux destin tout de même quand on sait que, solitaire par tempérament, la seule existence d'appartements communautaires à Moscou avait longtemps plaidé pour moi contre l'idée communiste entière. Toujours je m'étais demandé avec quelle pâte humaine chimérique on avait un jour pu imaginer bâtir le socialisme réel. Jamais je n'avais pu contempler sans éclater de rire ceux de mes camarades d'Henri-IV, issus de la haute bourgeoisie de Saint-Germain, qui arboraient chapkas à étoile rouge ou vestes mao au début des années 90, et se conduisaient ignoblement avec les fils d'instituteurs venus de province.

Toujours je m'étais méfiée des tables rases. Jamais je n'avais cru en une possible rectification définitive d'un bois humain voué à demeurer à jamais tordu. Par un fond de pessimisme anthropologique sans doute, parce que l'homme est cet animal de proie, cruel entre tous, qui ne chérit nullement l'égalité, et que l'on peut certes tenir en respect par la loi, mais jamais entièrement retourner. Toujours j'avais senti surtout que les communautés autogérées étaient un terrain de jeu fantastique pour les gourous, les pervers. Et ce ne sont pas les quelques heures passées à Rome avec Toni Negri, ancien

« cerveau » présumé des Brigades rouges, qui parvinrent à me convaincre du contraire. Je n'ai du reste pas changé d'avis sur l'ensemble de ces points.

9

Le spectre est revenu

Je fis toutefois en 2007 la rencontre d'Alain Badiou. Le philosophe venait d'être la cible d'un sournois libelle édité chez Gallimard par son vieil ennemi Philippe Sollers, lui-même ancien maoïste, quoique sur un mode renégat. Le coup était très rude, et risquait de le faire disparaître à jamais de la lumière qu'il venait tout juste de retrouver. À la faveur de l'élection d'un nouveau président, agité et très droitier, il venait en effet de publier un livre à succès, *De quoi Sarkozy est-il le nom ?*, qui avait servi de soupape à l'humeur dépressive qui planait dans la gauche entière du pays, bien au-delà des cercles familiers de la radicalité. Ainsi Badiou, en moins d'une année, était-il passé, pour le petit peuple des éditorialistes, du statut sans conséquence d'Hibernatus congelé dans une époque sanglante à celui de menace intellectuelle tout à fait présente. Son œuvre ontologique majestueuse, ils en ignoraient jusqu'à l'existence. L'usage de l'infamante accusation d'antisémitisme était alors d'usage pour disqualifier tout ennemi politique un peu remuant. C'est cette manière forte qu'ils avaient choisi d'employer avec lui, après l'avoir vu resurgir tel un diable sur les tréteaux publics, où son verbe puissant traînait après lui de nouveaux convertis. Un spécialiste de Barthes, avocat autoproclamé des intérêts d'Israël, s'était donc chargé d'écrire un livre plein de fausse science et d'accusations extraordinairement graves. Révoltée par le procédé, j'avais choisi de défendre le philosophe dans une longue plaidoirie qui, miracle ou faille du système, parut sans la moindre retouche dans «l'Obsolète». Notre amitié en fut scellée.

Le grand platonicien de la rue d'Ulm, vénéré par mon colocataire lorsque nous avions dix-neuf ans, était le penseur français vivant le plus traduit dans le monde. À lui seul, désormais, après les morts successives de Jacques Derrida et de Claude Lévi-Strauss, il revenait de faire vivre encore quelque chose de la *French Theory* et du folklore gauchiste de la faculté de Vincennes, toutes ces années en voie d'évanouissement au cours desquelles la France avait été le méridien de Greenwich de la pensée.

C'était au demeurant un colosse à l'intelligence ample, aussi intransigeant dans ses écrits qu'il était rieur dans la vie, et qui désarmait jusqu'à ses ennemis par sa courtoisie. Mais les grandes têtes molles du journalisme ne le voyaient pas ainsi. De lui, ils n'avaient rien lu, bien sûr. Un maoïste non repenti, voilà qui suffisait de toute façon à se faire un avis. Le reniement des années rouges était une valeur récompensée à Paris. Certains en avaient fait une carrière, monnayant à longueur d'essais ou de romans complaisants deux ou trois années d'«égarement». On retrouvait d'anciens membres de la Gauche prolétarienne, les yeux hagards, jusque dans les meetings de la droite atlantiste la plus affranchie, aux côtés d'affairistes et de chanteurs abrutis. Désormais c'était avec le président du CAC 40, et non plus avec Lin Biao, qu'ils entendaient changer l'homme.

C'est ainsi que Badiou était devenu l'ennemi public numéro un pour tous les braves gens du milieu intellectuel. Il était le nouveau spectre qui hantait la France. Chaque époque se choisit ainsi un *nom propre* réprouvé entre tous chez les penseurs. Celui-ci devient à l'instant la cible de tous les demi-instruits. Il met aussitôt d'accord contre lui les édredons de la fausse gauche, comme les forcenés de la vraie droite. Seuls les jeunes gens sont généralement sensibles sans restriction à ses sortilèges intellectuels, un phénomène bien identifié depuis le IVe siècle avant J.-C., lorsque la démocratie athénienne, plus énergique que la nôtre, se crut dans l'obligation de condamner à mort un fameux corrupteur de la jeunesse. À bien y réfléchir, ce phénomène du « philosophe expiatoire » n'est pas si étonnant. Le propre d'un discours émancipateur puissant, c'est de s'adresser à tous. Il ne peut donc que venir heurter de plein fouet les opinions dominantes qui, elles, ne servent que les intérêts d'un tout petit nombre. Ce petit nombre emploiera toujours toutes ses forces à lui barrer le passage.

Longtemps le nom de Bourdieu occupa cette étrange situation pour les gens de médias. Aujourd'hui, c'était celui de Badiou qui les aimantait maladivement. À l'arrière de la scène, certains jetaient, il est vrai, des bidons d'essence sur le bûcher de manière intéressée. Le maître penseur en carton de tous les patrons de rédaction, Bernard-Henri Lévy, qui avait tout de même essuyé quelques années durant ses fonds de culotte à l'École normale de la rue d'Ulm, mesurait parfaitement la force intellectuelle du personnage. Cela ne l'empêchait pas de le déprécier continûment, d'armer le bras des imbéciles contre sa personne et d'incriminer ses soutiens. Les vrais enjeux de cette hargne étaient évidemment cachés à la foule.

Il n'y avait pas seulement le fait que Badiou s'était juré de laver le drapeau rouge du fleuve de boue dans lequel les muscadins de l'antitotalitarisme l'avaient plongé trente années durant, sans rencontrer la moindre résistance. Il y avait surtout le secret pincement qu'éprouve toujours l'imposteur vis-à-vis de celui qui a d'ores et déjà gagné son paradis en acceptant de poursuivre longtemps une œuvre véritable dans l'obscurité, parfois même dans l'opprobre, et qui, facteur aggravant, a ainsi fini par rencontrer l'estime d'un public.

Il y avait aussi la vision radicale de l'universel que le philosophe avait choisi de réactiver, en se réclamant de saint Paul. « *Il n'y a plus ni Juif ni Grec* », c'est-à-dire : il n'y a qu'une seule humanité, appelée à vivre ensemble selon l'esprit, ou alors il n'y a que des animaux humains, appelés à ramper dans leurs égoïsmes particuliers. Une déclaration d'intention violemment universaliste, impardonnable à l'heure où les identités repoussaient de toutes parts sur le cadavre de la gauche. Un énoncé réprouvé entre tous dans le camp des ex-maoïstes qui avaient trouvé dans la Torah un substitut ardent à leur désir de révolution décomposé. Cela avait valu à Badiou une véritable excommunication, un *herem* à la manière des temps anciens. Il avait été prononcé par Benny Lévy, l'ancien possédé de la Gauche prolétarienne devenu talmudiste, auquel ledit clan anti-totalitaire se référait avec une dévotion qu'on sentait tout de même un peu contrefaite, tant le personnage se montrait d'une qualité spirituelle discutable dans ses écrits. « *Oubliez son nom !* », lançait ce dernier à quiconque se risquait à évoquer l'existence de Badiou devant lui.

Seulement voilà, non seulement son nom n'avait pas été oublié, mais il s'était propagé dans le monde entier. Après 2008 notamment, alors que les graves convulsions de la crise financière mondiale semblaient faire vaciller tous les dogmes et remettre le point de vue marxiste au goût du jour. Moi qui n'envisageais nullement de me convertir au matérialisme dialectique, j'avais néanmoins choisi de secourir Badiou face aux philistins, de l'admirer sur fond de désaccords politiques profonds, de bénéficier de sa conversation toujours perspicace et réjouissante, quels que soient les crachats à essuyer, les calomnies à endurer, les risques professionnels réels, les menaces directes de la hiérarchie.

Aussi stupéfiante que la chose puisse en effet sembler, même après avoir été nommée directrice adjointe de « l'Obsolète » en 2014, je crois n'avoir jamais eu, deux années durant, la moindre entrevue avec son fondateur, Jean Joël, sans qu'il n'oriente la conversation à un moment donné sur le nom de Badiou et que ne me soit demandé, d'une façon ou d'une autre, d'abjurer cette proximité coupable. Cette marotte-là, il n'était aucunement le seul à l'entretenir. La direction entière de « l'Obsolète » en était étrangement affectée.

L'un des météoriques directeurs du journal, puissant membre du Siècle, le club qui assurait alors la promiscuité entre tous les pouvoirs, s'adonnait lui aussi sans frein à cette obsession. À chaque conversation avec moi, le nom du spectre revenait, inlassablement, comme une accusation. Et les choses ne s'arrangeaient pas en descendant quelques marches hiérarchiques au sein du journal. Les lieutenants de ces messieurs étaient même les plus sévèrement atteints par ce tic mental. Le nom de Badiou devenait dans leur bouche une brimade. Un mot de passe destiné à faire discrètement sa cour au maître. Une façon de clore une discussion publique mal engagée par une raillerie menaçante. Un moyen de vous discréditer sans retour. On aurait cru voir à l'œuvre les petits commissaires politiques des années 50 que Milan Kundera mettait en scène dans *La Plaisanterie*, ce qui jetait au passage une drôle de lumière sur l'univers apparemment objectif, tempéré et froidement raisonnable de « l'Obsolète ».

Un reportage dans la capitale anglaise, au printemps 2009, m'avait du reste permis de mesurer la puissance du symptôme. J'avais demandé à être envoyée à Londres par le journal pour suivre plusieurs jours durant un colloque mal-pensant voué à entrer dans l'histoire. Il avait été organisé par la Birkbeck University, prestigieuse faculté réputée pour sa tradition d'accueil à l'égard des intellectuels persécutés pendant la guerre froide. Les grands noms de la philosophie politique radicale mondiale, de Slavoj Žižek à Alain Badiou et Toni Negri, y avaient été conviés à s'exprimer sur un avenir possible de l'idée communiste. Au-delà des désaccords insurmontables entre la plupart des intervenants, qui ne laissaient pas présager pour demain la reconstitution d'une « Internationale », une chose m'avait frappée : le public spectaculairement jeune et attentif qui peuplait les gradins. Une foule de neuf cents étudiants venus de l'Europe entière avec carnets de notes, canettes de Coca et Caméscope dernier cri, aux yeux desquels ces philosophes communistes *vintage* étaient curieusement devenus des rock stars.

Ces éléments d'ambiance, simplement rapportés dans l'article, m'avaient une fois encore valu au retour de sérieux ennuis. « *C'est impossible* », m'avait en substance dit l'un des dirigeants du journal. Je ne pouvais tout simplement pas avoir vu une telle chose. Le communisme avait été défait « *une fois pour toutes* », c'était une vieille chose, une brocante, et aucun porteur de T-shirt Gap ou American Apparel ne pouvait s'intéresser à des choses pareilles. En conséquence de quoi, je mentais. Ou à tout le moins j'embellissais pour servir une cause extérieure à l'intérêt du journal. Peut-être même étais-je déjà passée à l'ennemi.

Face à une telle marée noire d'imbécillité, une reddition eût toutefois été impossible. Quel était, au fond, ce désir sur lequel je ne voulais pas céder ? Seulement, je crois, celui de ne pas renoncer à prendre ma part, celle que n'importe qui peut prendre à tout moment du temps, dans la lutte éternelle contre l'écrasement de l'esprit. Lâcher l'affaire, prendre ses distances, couvrir prudemment des opérations de faux-monnayage intellectuel, comme j'en vis tant d'autres, des gens de qualité parfois, accepter de le faire au fil des années, c'eût été capituler, et capituler c'eût été mourir intérieurement. Cela ne m'était tout simplement pas possible.

Le nom de Badiou n'était nullement pour moi celui du communisme à travers les âges. C'était celui d'un des derniers géants de la pensée dans une France où le désert était en train de croître. Quoique philosophe matérialiste, il était au demeurant évident que son œuvre brûlait d'une transcendance inavouée, d'un appel à la conversion radicale, qui le rattachait à ces grands catholiques rouges que j'aimais. Il eût été bien sûr impossible, et en réalité rigoureusement inutile, de faire entendre cela à quiconque à « l'Obsolète », où il n'y avait plus le moindre interlocuteur au sommet pour tout ce qui relevait de la pensée.

Quelques années auparavant, j'en avais du reste eu la preuve saisissante. La couverture d'été qu'une consœur et moi avions montée sur l'idée de « démocratie », un travail d'un mois entier, avait ainsi pu se voir intégralement mis au panier. Les plus grands noms de la philosophie européenne y avaient été interrogés. Les seuls qui resteraient pour l'histoire, toutes sensibilités politiques confondues, de Slavoj Žižek à Jean Baudrillard, Jürgen Habermas, Alain Badiou, ou Peter Sloterdijk, et d'autres encore. « *Qu'est-ce que c'est que ces discours de cinglés ? Les filles, vous avez complètement déconné.* » Ainsi nous avait ri au nez le directeur chargé de procéder à l'inhumation du dossier.

10
« Les amis du journal »

À quel moment « l'Obsolète », navire amiral de la gauche de gouvernement française, avait-il décidé de se suicider en cessant de rendre compte du réel ? La lecture de *L'Étrange défaite* de Marc Bloch, toujours utile pour comprendre après coup les grands désastres, permet d'avancer un premier facteur. À la tête de ce journal, comme à celle de l'armée française en 1940, on trouvait de grands vieillards incapables de remettre en cause l'interprétation qu'ils donnaient de leurs victoires passées.

« L'Obsolète » s'était ainsi longtemps nourri des réflexions d'un cercle d'intellectuels et d'universitaires proches, « *les amis du journal* » les appelait-on, comme s'il s'était agi d'un cénacle indiscutable, dont l'évident prestige se passait de démonstration et dispensait même de les énumérer. Un demi-siècle plus tard, c'étaient encore les ultimes rescapés de ce cercle que le fondateur Jean Joël eut aimé voir discourir chaque semaine dans les colonnes, quoiqu'entre-temps la fermeté de raisonnement de certains eût notoirement peu résisté à la traversée du temps, que les pronostics historiques des autres eussent été infailliblement défaits les uns après les autres, ou que certains fussent résolument passés avec armes et bagages dans le camp de la droite la plus assumée.

On y trouvait un sociologue en retraite, qui eut son heure dans les années 80, humaniste infatué dont l'œuvre était désormais totalement démonétisée. Un ancien garde des Sceaux, véritable statue du Commandeur mitterrandienne, qui offrait en effet toute la dureté de la pierre, ainsi que son épouse, bas-bleu autrefois spécialiste des libres-penseurs, devenue la pasionaria d'un républicanisme si intransigeant qu'il suscitait avant tout l'adhésion des nationalistes anti-immigrés. Un gros bataillon d'anciennes gloires méditerranéennes et de pseudo-spécialistes de l'islam des Lumières, totalement dépassés par l'émergence inattendue d'une ultraviolence djihadiste dans le pays, occupait aussi une bonne place dans le cercle des «*amis du journal*». Une sénescente poignée d'hommes politiques fermait le ban de cette infernale cohorte, au premier rang desquels un ancien ministre de la Culture, incarnation parcheminée et presque parodique de la gauche incantatoire des années 80, celle-là même que tout le monde était désormais désireux d'oublier.

Avec certains ex-enfants chéris de «l'Obsolète», il avait toutefois fallu prendre quelques distances, au moins en surface. L'un d'entre eux, donneur de leçons invétéré de la gauche des «droits de l'homme», avait même accepté sans barguigner en 2007 le ministère des Affaires étrangères du plus extrémiste des gouvernements que la droite eût connu depuis la Libération. Des années durant, cet ancien gastro-entérologue devenu affairiste avait pourtant fait la pluie et le beau temps au journal, ainsi que sa femme, ancienne présentatrice de la télévision dont le ton cassant laissait de mauvais souvenirs dans certaines rédactions. En voulant défendre cette dernière contre un article publié dans « l'Obsolète » en 2003, qui disait tout le mal qu'il y avait à penser de la biographie qu'elle avait écrite de Françoise Giroud, le fondateur avait réussi à provoquer le départ d'Angelo Rinaldi, une des grandes signatures de la maison. Il était déjà tout à fait exceptionnel à « l'Obsolète » que l'on fût soutenu par sa hiérarchie contre un quelconque puissant ; face aux « *amis de la maison* », heureux si vous échappiez au peloton d'exécution. La querelle s'était cette fois publiquement à ce point envenimée que ledit critique littéraire avait publié un texte peu amène à propos de Jean Joël. Celui-ci s'en était vengé d'une manière peu conforme à la morale camusienne, ramenant ce dernier à des origines sociales semble-t-il indignes de « l'Obsolète », le traitant comme un laquais congédié dans une prose d'Ancien Régime où le ridicule le disputait à l'obscénité.

Un autre « *ami du journal* » très notoire, Michel Rocard, avait lui aussi réussi à susciter le départ déchirant, six ans auparavant, d'un de ses plus fervents supporters du service politique. Ainsi avait-il obtenu, grâce à un forcing extravagant auprès du Grand Commandeur Jean Joël, que le journal démente, envers et contre l'évidence même, l'information selon laquelle il avait demandé au président Chirac de s'assurer qu'il obtiendrait le Quai d'Orsay dans le gouvernement de cohabitation qui s'annonçait.

Le plus amusant, concernant « *les amis du journal* », était que, quoique certains d'entre eux aient manifesté le désir explicite de s'émanciper de «l'Obsolète», pas encore assez ouvertement droitier à leurs yeux, ils n'en restaient pas moins à jamais ceux dont l'avis avait autorité sur tous les autres, ceux auxquels il était également interdit de demander le moindre compte. Ainsi le même Michel Rocard, rival socialiste malheureux de François Mitterrand plusieurs décennies durant, avait-il délibérément, quelque temps avant sa mort, choisi de confier un long testament politique au *Point*, l'hebdomadaire de la droite libérale, connu pour être sourcilleux sur la question des déficits publics et des immigrés. Depuis le bord opposé, Rocard dispensait donc quelques sévères leçons de morale à son camp, dont on ne savait plus très bien s'il était encore le sien d'ailleurs.

Jugée comme « *la plus rétrograde d'Europe* », la gauche française s'y voyait accusée d'avoir perdu la bataille des idées, et tout concourait hélas à laisser deviner que, pour lui, une « victoire » eût consisté à pousser les feux plus loin encore vers la déréglementation de nouveaux marchés et l'exigence d'austérité. L'ex de la banque Rothschild qui avait été porté à la tête du ministère de l'Économie, poupon au regard exalté que certains rêvaient de porter tout au sommet, trouvait néanmoins grâce à ses yeux. Le jeune Macron « *reste du côté du peuple, donc de la gauche* », se portait garante la pythie socialiste, au soir de sa vie. Nul n'aurait pu dire exactement à quelle intuition ou à quel événement inconnu du public Michel Rocard se référait, tant chaque apparition dans une usine ou chaque percée dans un bureau de poste dudit Macron se terminait par la vindicte d'ouvrières outrées par son irrespect, par d'indignes bousculades avec des chômeurs en fin de droits, quand ce n'était même par des œufs écrasés.

On devinera à quel point le spectre constamment brandi des « *amis du journal* » était devenu un poids terrible pour ceux qui, comme moi, avaient la charge de faire vivre celui-ci, de le projeter dans un avenir neuf, de tenter de lui rendre une part de son lustre. Toute figure intellectuelle nouvelle, à moins d'avoir fourni des preuves définitives de son innocuité, ou de sortir de quelque fabrique éditoriale à chapons d'un des « *amis du journal* », était suspecte par définition. Le délabrement de « l'Obsolète », titre autrefois renommé sur le plan intellectuel, crevait désormais invinciblement le cœur de quiconque s'intéressait à la vie des idées. On ne pouvait s'empêcher de songer à Matera, cette incroyable ville du sud de l'Italie, blanche de chaleur, où l'ancien cimetière est construit sur le toit des maisons. Les morts aussi étaient montés sur le dos des vivants à « l'Obsolète », et désormais ils cherchaient chaque jour à les enterrer. Cet agrippement désespéré au passé, qui se donnait les apparences de la fidélité quand il n'était que la manifestation de l'extinction de toute aptitude au renouveau vital, n'était pourtant que l'un des facteurs dans la terrible crise d'identité que traversaient alors ce journal et tout le centre de la gauche française avec lui.

Quelque chose ne tournait plus rond, et depuis de nombreuses années déjà, dans la représentation du monde que proposait la « deuxième gauche », ainsi qu'on l'appelait encore. Moderniste, préférant la culture du compromis à celle de luttes sociales jugées anachroniques, battant des mains à l'idée de toute désagrégation de « *rigidités* », s'enthousiasmant pour la réforme en soi à travers les âges, celle-ci faisait comme si une gauche « *archaïque et dogmatique* » régnait encore sur les urnes et les consciences. Or il n'en était rien, et depuis longtemps, bien sûr, depuis qu'un gouvernement socialiste avait définitivement renoncé, en 1983, à protéger les travailleurs contre les désirs impérieux du marché. Tout le système moral de la « deuxième gauche » s'en était trouvé pris à contre-pied.

Il le serait paradoxalement aussi, quelques années plus tard, avec l'effondrement d'un Mur qui signerait la disparition terrestre du royaume communiste. La perte de l'ennemi est toujours un moment critique pour une organisation collective. Pour la « deuxième gauche », ce fut une catastrophe. Toujours celle-ci avait prospéré sur la condamnation des doctrines radicales, sur la crainte entretenue de voir ces dernières un jour portées au pouvoir dans un vieux pays jacobin qu'on s'obstinait à leur dire favorable. Or tout tendait désormais à montrer que la nationalisation des industries et du crédit était une page refermée de l'histoire, et que la confiscation de la propriété des maîtres ne risquait nullement de revenir de sitôt au goût du jour.

L'ennemi nouveau pour une social-démocratie en vie, c'eût à l'évidence dû être ce stade avancé du libéralisme en train d'anéantir un à un tous les acquis du passé, et qui bientôt, sous un autre gouvernement aux couleurs socialistes trompeuses, tenterait même d'araser le Code du travail tout entier. La « deuxième gauche » décida toutefois que, contrairement au fameux principe énoncé par Lampedusa, pour que rien ne change, tout devait continuer exactement comme avant.

Aussi inouïe que la chose paraisse, ni la ruine à grand spectacle du communisme, ni la reddition intime du socialisme, non plus que les dérèglements désormais évidents de la mondialisation, ne changèrent rien à la politique générale prônée par « l'Obsolète », ni à ses appréciations, ni à ses appréhensions, qui dès lors devinrent irrémédiablement chimériques. Alors que le capitalisme financier avait enfin réalisé son grand rêve de faire de l'argent seulement avec de l'argent, on continua à faire comme si les capitalistes d'aujourd'hui étaient encore les pères de familles d'hier, un œil sur la trésorerie, l'autre sur l'intérêt commun.

À un moment extraordinairement critique de l'histoire, lors de la grande crise de 2008 qui vit s'effondrer banques et Bourses mondiales, l'un des membres éminents de « l'Obsolète », figure historique du syndicalisme réformiste, eut toutefois la révélation complète de la duperie à laquelle il collaborait. « *La greffe néolibérale a contaminé la social-démocratie* », se mit tout de go à déclarer le célèbre éditorialiste Jacques Julliard dans des entretiens accordés à la presse radicale qui inquiétaient ses employeurs. Blâmant certains acteurs de la « deuxième gauche » d'être passés en masse chez Sarkozy un an auparavant, il invoquait la nécessité de renouer avec les principes d'une social-démocratie de combat, face à une social-démocratie devenue aujourd'hui simple « *ligne de repli de la bourgeoisie d'affaires* ». On ne pouvait mieux dire. Conséquent avec lui-même, Julliard choisit cette année-là de quitter « l'Obsolète », où son brio d'éditorialiste lui valait depuis l'origine les persécutions envieuses du fondateur, afin de rejoindre le journal *Marianne*, et de passer ainsi de la place de la Bourse aux abords de la République.

Là-bas il retrouverait hélas une même social-démocratie complice et résignée, au faux nez patriote et souverainiste cette fois. Lui-même du reste sembla finalement s'accommoder du nouveau gouvernement socialiste qui parvint au pouvoir en 2012, et dont on ne tarda pourtant pas à voir qu'il était peu décidé à arracher la « *greffe néolibérale* ». Il trouvait bien du courage au président Hollande, qui savait décidément mieux s'y prendre avec les éditorialistes vedettes qu'avec les gens ordinaires, et le recevait en tête à tête à l'Élysée pour écouter des avis qu'il suivait ensuite distraitement ; bref, tout rentra dans l'ordre.

11
Le triangle des Bermudes de la pensée

Au sein des «*amis du journal*», un homme se distinguait entre tous par l'influence considérable dont il jouissait encore à «l'Obsolète», autant que par la position éminente qu'il occupait depuis cinquante ans dans les coulisses de la vie des idées à Paris. Ainsi l'éditeur Pierre Nora avait-il même acquis, au cours des dernières années, un empire total sur l'esprit du fondateur qui, non content l'été venu de rejoindre sa résidence secondaire, s'en remettait presque entièrement à lui pour tout ce qui relevait des choix intellectuels. À Jean Joël, il signalait les suspects radicaux à mettre prioritairement à l'index, et les protégés déjà bien reçus au *Figaro*, à qui le premier hebdomadaire de la gauche française se devait néanmoins d'offrir l'asile.

Issu d'une puissante lignée de la bourgeoisie intellectuelle parisienne, Pierre Nora était à la fois le frère de Simon, ancien résistant et patron du groupe Hachette disparu en 2006, l'oncle d'Olivier, qui présidait aux destinées de la maison d'édition Grasset, en même temps que celui d'une figure influente du service économie de «l'Obsolète», journaliste connue pour ses positions ultra-libérales dont l'hostilité à mon égard était minérale. On pouvait voir en eux les Kennedy du 6e arrondissement, sans doute autant par référence à leur vaste influence qu'aux yeux clairs qui leur donnaient à tous une ressemblance frappante, et à tout ce qui faisait d'eux les souverains-nés du milieu médiatique et intellectuel de cette fin d'époque.

Au sein des éditions Gallimard, Pierre Nora avait jadis créé une collection de sciences humaines prestigieuse, qui l'avait placé au centre du jeu parisien, sans avoir lui-même à plonger les mains dans l'archive, ce que lui reprochaient à mots plus ou moins couverts la plupart de ses pairs. Au milieu des années 80, le projet et la supervision d'un vaste chantier appelé *Les Lieux de mémoire* lui avait néanmoins conféré, auprès du public, le statut de grand historien auquel la conscience qu'il avait de sa valeur aspirait. *Les Lieux de mémoire* proposaient une promenade nostalgique et apaisée au milieu des grands symboles consensuels de la nation française. Les anciens tumultes y étaient vus comme désormais dépassés. Monuments emblématiques, événements fondateurs et personnages d'Épinal, tout ce qui méritait une plaque commémorative ou un cordon bleu-blanc-rouge pouvait en soi être promu «lieu de mémoire». La France devait cesser d'être «*une histoire qui nous divise pour devenir une culture qui nous rassemble*», déclarait Pierre Nora pour justifier l'entreprise.

C'était en effet l'époque où la France, qui semblait en avoir fini avec l'avenir, était en train de se transformer en gardienne de cimetière de son propre passé, faisant visiter ses propres artères, où un sang vif avait autrefois coulé, comme on fait visiter un caveau. À cette entreprise-là, le tempérament de Pierre Nora était particulièrement ajusté. D'une intelligence aiguë, tout en piques insidieuses, il semblait comme coupé de la vie, qu'il voyait passer sous ses fenêtres sans pouvoir y prendre pleinement sa part. La dernière barricade de Mai 68, posée juste devant son domicile alors qu'il avait trente-six ans, fut comme «*sa scène primitive*», ainsi qu'il en fit l'aveu un jour dans un livre de souvenirs. L'Histoire, il aurait pu penser que c'était cela, les CRS chargeant la jeunesse sous ses fenêtres, les cris qui montaient jusqu'à lui depuis le boulevard Saint-Germain, le tumulte d'une révolution en train d'avorter qui changerait à jamais l'atmosphère du pays. Il préféra néanmoins penser que l'Histoire c'était, comme le philosophe Alexandre Kojève le lui avait affirmé la veille, quelque chose qui appartenait désormais au passé. Cette nuit-là, le jeune Pierre Nora eut la conviction qu'il n'y avait peut-être plus grand-chose à vivre, qu'il fallait seulement se retourner et continuer à compiler.

Il y avait peut-être une réelle blessure chez cet homme. Une dissociation d'avec l'événement en train de se faire, vouée à le protéger des convulsions du temps. À douze ans, il avait échappé de peu à une arrestation à Villard-de-Lans. L'histoire avait failli l'engloutir, il préférait en finir avec elle. Dans le récit qu'il donnait de sa nuit de conversion résolue à l'immobilité, il y avait cependant aussi, à l'évidence, une façon de colorer de mélancolie grandiose une simple pente à la célébration d'un ordre qu'il n'y avait à ses yeux plus lieu de changer. Une humeur de grand bourgeois déjà très installé, en somme. Toujours est-il que c'est ce même homme, qui aimait à se dépeindre innocemment comme «*sans opinions décidées*», qui se fixa pour programme de faire définitivement passer à la France le goût de la radicalité.

À l'aube des années 80, la revue qu'il fonda au sein des mêmes éditions Gallimard serait l'avant-garde de ce combat pour le *statu quo* et la réduction de la vie intellectuelle française à quelques options et quelques noms autorisés. Pierre Nora ne s'en était jamais caché, la motivation principale qui l'avait animé lorsqu'il avait fondé ce périodique renommé appelé *Le Débat* avait été d'en finir avec toutes les philosophies de l'engagement, d'acter une bonne fois pour toutes la fin de l'âge idéologique. Alors que les intentions tortueuses de François Mitterrand à l'égard de ses alliés communistes n'apparaissaient pas encore nettement, le Programme commun en vue de l'élection présidentielle de 1981 alimentait toutes les craintes en ce début de décennie. Aussi *Le Débat* ne s'était-il pas trouvé seul à œuvrer pour faire barrage aux tentations extrémistes redoutées du futur nouveau régime, ainsi que l'historien britannique Perry Anderson le remarqua dans une charge intitulée *La Pensée tiède*, parue au milieu des années 2000. Sous une coloration chrétienne de gauche, la revue *Esprit* agirait dans le même sens, ainsi qu'une nouvelle parution, *Commentaire*, dans une version plus durement libérale et atlantiste de la chose, qui naîtrait des inquiétudes de Raymond Aron, auteur de *L'Opium des intellectuel*, essai dans lequel le philosophe avait dénoncé, dès les années 50, la servitude volontaire des clercs dans leur rapport à l'Union soviétique.

Dans ce triangle des Bermudes de la pensée que formaient au début des années 80 les trois revues, la gauche était, sans faire de bruit, en train de célébrer ses noces durables avec l'intelligentsia de droite. Une commune foi animait en effet tous ces patrons de revue, auxquels se mêlaient des universitaires, mais aussi des politiques qui venaient y écrire, de temps à autre, pour montrer qu'eux aussi avaient fait leurs humanités. Une foi qui allait prendre tout son essor dans le pays après 1983, quand serait définitivement chassé des esprits le spectre d'un socialisme étatiste. L'idée que la gauche raisonnable et la droite tocquevillienne avaient tout pour s'entendre. L'idée que, la démocratie ayant largement triomphé, le rôle des intellectuels était désormais d'en gérer loyalement les bénéfices pour tous, et certainement pas de jouer un quelconque rôle de contre-pouvoirs. L'idée que, à condition d'anéantir dans l'œuf la moindre résurgence d'idéologie radicale, le temps pouvait s'écouler ainsi, lové dans une molle fin de l'histoire, tièdement libérale, à peine perturbée par quelques guerres « zéro mort » fort heureusement localisées à l'autre bout du monde.

Fondée dans les mêmes années par François Furet, autre maître à penser de « l'Obsolète » jusqu'à sa mort à la fin des années 90, la Fondation Saint-Simon ne se proposait pas d'autre programme. De futurs patrons du CAC 40 qui revendiquaient alors un passé trotskiste, y croisaient de futurs professeurs au Collège de France formés à HEC. De futurs conseillers du président Sarkozy s'y frottaient à des célébrités des médias, et c'est dans ce même esprit que Laurent Môquet, alternativement directeur des rédactions de « l'Obsolète » et de *Libération* venait y chercher l'inspiration.

Tout ce petit carrousel d'influence communiait dans l'idée que la France devait en finir avec ses démons radicaux, que le libéralisme et la démocratie marchaient comme par enchantement de pair, l'un installant infailliblement les conditions pour l'émergence de l'autre, qu'il fallait « *moderniser* » le pays, c'est-à-dire surtout mettre le cap vers le grand large d'une économie toujours plus ouverte. En somme, il était urgent d'oublier la culture du conflit social, de libérer la voie au capital et de balancer par-dessus bord toutes les pesantes gangues protectrices issues de la Libération. Ce qu'il fallait, c'était en finir avec la « *préférence française pour le chômage* », selon l'audacieuse formule de l'un de ses membres, ancien patron du CAC 40 qui deviendrait l'un des éphémères mais des plus symptomatiques directeurs de « l'Obsolète ».

À l'été 1999, l'année même où j'entrai en stage dans ce journal, personne n'en avait encore vraiment pris conscience, mais les temps avaient déjà changé. La Fondation Saint-Simon venait de s'autodissoudre, François Furet, maître à penser du fondateur Jean Joël, venait de mourir lors d'une partie de tennis disputée avec le futur ministre Luc Ferry, les événements de l'hiver 1995 avaient fait resurgir l'ombre de la politique, à nouveau l'on avait vu des penseurs grimper sur des bidons.

Un crime de masse à Manhattan en 2001, financé par une branche hérétique de nos alliés saoudiens, ne tarderait plus à pulvériser l'idée de fin de l'Histoire sur laquelle avaient prospéré tant d'intellectuels pour magazines illustrés. S'en trouverait achevé le sentiment de «*grève des événements*» qui avait infusé tout au long des années 90, selon le mot de Jean Baudrillard, l'un des penseurs les plus lucides de la période, et aussi l'un des plus calomniés. Il n'empêche, «l'Obsolète» et la poignée d'intellectuels organiques qui lui fournissaient encore son carburant n'étaient aucunement déterminés, eux, à changer de paradigme. Le bain idéologique dans lequel avait fermenté durant vingt longues années ce journal et les élites «progressistes» du pays entier, personne ne voulait y renoncer. Était-ce encore possible, d'ailleurs, après tant d'erreurs prônées, et tant de reniements vantés comme autant d'avancées?

Je souris tristement en pensant que, c'est peut-être l'été même où j'y suis entrée, que «l'Obsolète» aurait pu, lui aussi, courageusement décider de se saborder, comme le fit quelques mois auparavant, à l'unanimité, le club de réflexion patronal dont il était au parfait diapason. Mais un journal ne se dissout pas comme un parti ou un cercle de réflexion qui a échoué ou trop bien rempli sa mission: il nourrit des centaines de bouches, des familles entières, il est donc impérieusement tenu de survivre à sa propre mort. Il aurait dû se renouveler plutôt, ce qui supposait d'admettre un nombre colossal de manquements et d'erreurs.

Il ne changea pas. Tels ces personnages de Tex Avery qui, après avoir dépassé la falaise, continuent à courir au-dessus du vide, le journal persévéra dans la duplicité, en dépit du gouffre qui s'ouvrait désormais au-dessous de lui.

12
« Il faudra toujours dire la vérité »

Le 22 avril 2002 au matin, je suis dans le bureau de Laurent Môquet, en présence de deux ou trois journalistes et d'un des directeurs délégués historiques de « L'Obsolète ». L'impensable est advenu la veille. Le candidat socialiste à l'élection présidentielle, raide Premier ministre que chacun pensait cependant apprécié, a été sèchement remercié dès le premier tour. Le diable de la République, Jean-Marie Le Pen, leader de l'extrême droite française et amateur de jeux de mots antisémites, se retrouve en position théorique d'investir l'Élysée. Déjà, la veille, des milliers de personnes sont descendues dans la rue pour protester contre un résultat jugé déshonorant pour le pays.

Le « camp du Bien », à quoi se résume désormais presque toute l'identité de la gauche, ne va pas tarder à s'offrir un moment inespéré de communion frissonnante, une démonstration de conformisme monstre comme il les aime tant. C'est bien la première fois en effet que les galonnés de « l'Obsolète » défileraient en cortège à une quelconque manifestation du 1er Mai, les absents étant même priés par la pression collective de se justifier le lendemain. Seul le lilliputien parti trotskiste Lutte ouvrière, perçu dans ces années-là comme quasi folklorique avec la nonne rouge qui lui servait de porte-parole, n'appellera pas au vote en faveur du candidat de la droite au second tour de l'élection.

L'atmosphère est toutefois étrange ce matin-là dans le bureau de Laurent Môquet. À force de jouer avec la grande peur de la droite extrême pour donner un semblant de colonne vertébrale à la gauche, le journal avait fini par oublier que le Front national était un parti réel, s'appuyant sur des forces populaires réelles, avec un candidat à l'élection présidentielle réel, et pas seulement un monstre de papier seulement bon à donner des frissons aux lecteurs du journal de Jean Joël. Le directeur délégué, surtout, qui connaît son histoire intellectuelle de la gauche sur le bout des doigts, semble atteint de plein fouet par la débâcle. Légèrement désorienté, il prononce cette phrase que je n'ai jamais oubliée: «*À partir de maintenant, il faudra toujours dire la vérité*».

Sur le coup, je trouve le propos stupéfiant, et malgré tout à hauteur d'événement. Sans en percer tout le sens, sa solennité me touche, par-delà le non-dit immense, presque comique, qu'il renferme. Quelle pouvait bien être, en effet, cette vérité cachée que les grands prêtres de «l'Obsolète» se seraient donc obligés à taire durant toutes ces années, comme les fameux marins attachés au mât? Ce jour-là, mon imagination s'enflamme. J'imagine que l'heure a enfin sonné de reconnaître la corrélation toujours niée entre le ralliement sans condition de la gauche au marché et les poussées du Front national. Je pense qu'en effet plus rien ne sera jamais comme avant, que tout sera mis en œuvre pour arracher la gauche à l'empire exclusif de la technocratie libérale bourgeoise qui en a détruit jusqu'au sens, et en rendre une partie aux petits, aux obscurs, aux sans-grade. Je pense aussi qu'il est plus que temps, en effet, que la gauche cesse ainsi de préparer la future chambre nuptiale pour la France et le Front national. Ce jour-là j'imagine donc que c'est sans doute cela que le grand prêtre de la social-démocratie vient d'admettre et même d'ordonner à travers sa phrase sibylline.

Avec le recul, je n'en suis plus si sûre. Pire encore, je pense parfois que la vérité jusqu'ici tue, celle qui devait enfin être révélée aux lecteurs, concernait en réalité moins l'abandon des ouvriers que quelque chose d'indicible tournant autour de l'islam, qui sous sa forme extrémiste avait frappé neuf mois auparavant à Manhattan. La vérité pointée par le grand prêtre, c'était plutôt que le journal devrait un jour prendre à bras-le-corps la question des musulmans du pays et de l'immigration en général, toute cette pelote à complications inextricables au sujet de laquelle on disait que le peuple s'était exprimé sans détour en votant pour le parti du Diable. La vérité, c'était que les années SOS-Racisme, association de roublards moralisateurs qui fut longtemps garante de l'identité socialiste par-delà l'abandon des luttes sociales, étaient cette fois bel et bien achevées. La vérité, c'était que la poche toxique de ressentiment à l'égard des immigrés ne tarderait pas à crever à gauche aussi, quoique sous des formes laïcardes et républicaines qui dissimuleraient plus ou moins habilement la chose.

On aurait bien sûr pu donner une tout autre interprétation à la déroute du Premier ministre socialiste que cette dernière. On aurait pu y voir autre chose qu'un avertissement lancé aux musulmans du pays pour qu'ils se tiennent à carreau, ainsi que le patron survolté de la principale instance de représentation juive du pays le déclara triomphalement après le scrutin.

La déroute de ce premier tour aurait même pu être anticipée avec certitude à «l'Obsolète». Quelques semaines avant l'élection, un vote à blanc y avait en effet été organisé par l'ensemble des journalistes, à seule fin de délassement collectif. Or, à la stupeur générale, le candidat socialiste n'y était arrivé qu'en quatrième position. Le PS battu à plate couture dans le cœur médiatique battant de l'appareil socialiste. C'était plus qu'un avertissement, c'était la chronique d'un désastre annoncé. Ainsi le candidat écologiste caracolait-il en tête, suivi d'une future garde des Sceaux du Parti radical, tandis qu'un jeune facteur «prolétarien» alors très médiatisé les suivaient de peu. Le candidat souverainiste lui-même, ancien ministre socialiste dissident, y avait recueilli quelques suffrages. *Horresco referens*, Jean-Marie Le Pen y avait lui aussi remporté une voix. Cette unique voix, cette seule petite voix donnée au Front national avait du reste été l'occasion d'un des plus burlesques épisodes de toute l'histoire de «l'Obsolète».

Cette voix pour le parti du Diable, vécue comme une tache morale pesant sur le scrutin entier, déclencha en effet dans toute la maison une véritable chasse à l'homme. Sans répit la direction chercha, des jours durant, à savoir qui avait bien pu se rendre coupable d'un tel délit, afin de lui appliquer on ne savait trop quel genre de sanction disciplinaire. L'enquête interne patinant visiblement, un matin nous nous trouvâmes, stupéfaits, en face d'une affiche signée de la main même du fondateur Jean Joël et de son plus fidèle lieutenant, affirmant solennellement que personne ne votait ni n'avait jamais voté pour Jean-Marie Le Pen à « l'Obsolète ». Que ces événements extraordinairement graves ne pouvaient donc être le fait que d'une erreur inexplicable, ou d'une provocation scandaleuse, mais certainement pas d'une adhésion clandestine véritable, ce qui relevait tout simplement de l'impossible dans le saint des saints de la gauche morale sise place de la Bourse.

Ce placard despotique avait été apposé dans les deux ascenseurs du journal. Le caractère loufoque de cette déclaration, appliquée à un scrutin en carton-pâte, ne semblait apparaître à personne à l'étage de la direction. Les tartuffes régnaient sans partage, leur esprit de sérieux et leur gravité feinte ne connaissaient aucune limite.

Des années plus tard, j'appris qui était l'auteur de cette turlupinade. Le grand reporter ayant glissé un bulletin Le Pen dans l'urne factice de « l'Obsolète » n'avait pas pu s'empêcher d'en tirer gloire un soir de soûlerie, auprès d'une connaissance commune. C'était un des favoris de Laurent Môquet, objet de toutes les précautions de la direction, un des plus intraitables antifascistes de l'établissement. Le genre de commissaire politique capable de demander publiquement à l'un de ses camarades, l'œil soupçonneux, pourquoi il ne s'était pas rendu avec les autres au grand rassemblement du 1er Mai.

Les rapports entre les médias et le Front national étaient dès ce temps-là régis par une ambiguïté totale.

Officiellement, le cordon sanitaire était absolu, le *containment* total. Impossible de s'adresser à un proche de Jean-Marie Le Pen, fût-ce pour une enquête, à moins d'être un des rédacteurs explicitement affectés au suivi de ce parti. Cette règle, qui visait semble-t-il à empêcher toute contamination, ne valait cependant que pour les paroissiens ordinaires et pour les novices. Les grands prêtres et leurs protégés en étaient dispensés, étant probablement par nature, eux, immunisés contre ce genre de tentations. Dans les faits, on découvrait donc des choses ahurissantes. Ainsi, l'un des principaux rédacteurs en chef de « l'Obsolète », expert en choses politiques, était-il fréquemment de visite à Montretout, fief de la famille Le Pen, où on lui faisait le meilleur accueil. Le patriarche vichyste avait une forme de tendresse pour ce garçon, qu'il avait vu démarrer à *Libération*, et le recevait dès que ce dernier en faisait la demande, pour déverser dans son carnet à spirales toutes sortes d'anecdotes et de considérations diversement écœurantes. Le même personnage était en contact étroit avec un nombre incalculable de cadres du parti du Diable, avec qui il échangeait plus régulièrement qu'avec ses propres voisins de bureau. Il n'hésitait pas davantage à déjeuner, si l'occasion se présentait, avec la petite-fille de l'ancêtre, Marion Maréchal-Le Pen, apprentie députée au Parlement français. Où était le mal dans tout cela ? Il s'agissait de récupérer l'information de la bouche même du cheval, quoi de plus légitime, et même de plus méritoire aurait-on pu ajouter.

Là où la querelle de doctrine devenait en tout point complexe, c'est que ce même dignitaire de « l'Obsolète » était aussi l'un des journalistes les plus férocement opposés à l'idée de mener un entretien public dans les pages du journal avec un quelconque membre de la famille Le Pen. Une interview, fût-elle menée sans la moindre concession, relevait de l'infraction criminelle. Les voir en cachette du public, aucun problème. Leur donner la parole en pleine lumière, il n'en était plus question, considérait cet enfant chéri du milieu que certains avaient voulu porter à la tête du quotidien *Le Monde*.

La querelle portant sur la convenance ou pas d'interroger « *dans nos colonnes* » la patronne du parti, Marine Le Pen, était l'objet d'un interminable jeu de dupes qui occupait tout le clergé médiatique, bien au-delà des murs de « l'Obsolète ». Ainsi, au journal *Marianne*, cette même affaire put-elle occasionner, l'année précédant l'élection présidentielle de 2012, des conclaves de plusieurs heures, d'où aucune décision ferme ne sortait généralement. La discussion était d'autant plus retorse qu'il était de notoriété quasi publique que le directeur de la rédaction en charge cette année-là avait certaines compréhensions coupables à l'endroit du parti du Diable.

À ses yeux, le Front national ne se contentait pas de soulever les bonnes questions, comme avait pu le dire un ex-Premier ministre de Mitterrand, il y apportait aussi de bonnes réponses. Ainsi pouvait-il discuter des heures durant, portes fermées, des aides financières indues perçues par les Roms, ou prenait-il sur ses loisirs pour se documenter jusque dans les plus invraisemblables détails sur les cruautés de l'abattage rituel musulman. La question du voile islamique le mettait aussi dans un état d'extraordinaire agitation. Il aimait à relater par le menu chacun des événements survenus dans une crèche des

Yvelines où une assistante maternelle s'était évertuée envers et contre toute soumission républicaine à arborer l'abominable foulard. Il en parlait sans fin, avec un lyrisme presque ému, comme s'il s'était agi de la mythique bataille de Roncevaux, berceau de la France. Qu'est-ce qui séparait encore cet ancien grand reporter aux idées ébouriffantes de la doctrine du parti du Diable ? C'était là la grande énigme, qu'il était bien sûr interdit de soulever. Longtemps, ceux qui avaient nommé l'homme à un tel poste se bornèrent, lors de ces élucubrations choquantes, à détourner le regard en rappelant qu'il avait autrefois écrit des livres bouleversants sur Vichy et la question des enfants déportés.

Ainsi, dans les cénacles des rédactions « de gauche », sans fin discutait-on de la question de savoir s'il fallait ou pas donner la parole à la fille du Diable. Je dois avouer que, en ce qui me concerne, le seul risque authentique que j'y aie jamais vu, c'était celui que les gladiateurs du journal mandatés pour mener le combat essuient une cuisante défaite. La fille du Diable avait l'aplomb d'un tribun, une gouaille héritée de son père, ses reparties faisaient souvent de sérieux dégâts, et la plupart de ses contradicteurs se faisaient dévorer entièrement crus. À « l'Obsolète », au cours de l'année 2015, c'est néanmoins avec une réelle stupeur que j'appris que le directeur de la rédaction, Matthieu Lunedeau, avait inopinément pris la décision d'inscrire la fille du Diable comme participante à l'un de ces colloques à vocation publicitaire que les journaux montaient encore durant ces années-là, pour siphonner les fonds des collectivités territoriales. Marine Le Pen invitée des « Journées de Bruxelles de l'Obsolète », aux côtés de l'ex-trublion rouge devenu député vert Daniel Cohn-Bendit, ou pourquoi pas, du dernier des papes socialistes, Jacques Delors, c'était proprement inouï, c'était même le risque d'un écroulement final de tout le décor du théâtre. Il m'avait fallu un moment pour faire comprendre à ce garçon, qui était alors mon supérieur et collaborerait quelques mois plus tard à mon éviction, que la chose ferait nécessairement scandale, et lui porterait un grand tort. D'un naturel inconséquent, il enterra sans façon le projet, et l'on passa à autre chose.

L'économie générale de cette hypocrisie face au parti du Diable devenait toutefois infernale. Alors qu'il était évident que le pouvoir socialiste français, confronté à un raidissement djihadiste de l'islam, convergeait de moins en moins discrètement avec la manière forte du Front national, et que quelques pionniers du patronat ne se cachaient même plus publiquement de souhaiter l'arrivée au pouvoir de la fille du Diable, tout était fait pour que les apparences fussent encore à peu près sauves. Tout était mis en œuvre dans les rédactions de la gauche pour opérer encore de subtils distinguos entre les châtiments réclamés par le président socialiste à l'encontre des tueurs islamistes, la « *déchéance de nationalité* » par exemple, et ceux qui étaient prônés depuis trente ans déjà par le parti du Diable. Tout concordait à maintenir un cordon de sécurité entre le pouvoir socialiste et son double infernal. Tout était fait pour que, contrairement au fameux conte d'Andersen, aucun innocent ne puisse jamais s'approcher du convoi officiel, pour constater que le roi était nu désormais, entièrement nu, et finalement comparable à ceux qu'il avait toujours affecté de combattre.

13

La gauche Finkielkraut

Il y avait tout de même jusqu'ici un point sur lequel le «camp du Bien» avait réussi à ne pas trop transiger, à ne pas céder sur son apparence de principes, et ce point c'était la défense abstraite et souvent toute théorique des immigrés et de leurs enfants. Cette affaire-là avait fini par devenir, au fil du temps, l'ultime corde de rappel pour toute une gauche désormais incapable de se définir elle-même, puisqu'elle avait presque entièrement rallié les doctrines économiques de la droite. On savait donc qu'on avait affaire à un individu à peu près fréquentable si celui-ci déclarait redouter une fermeture des frontières, craindre un *repli national*, et s'évertuait à dispenser quelques paroles de dame patronnesse sur l'accueil indispensable de l'étranger.

Fut un temps où un lecteur type de «l'Obsolète» soutenait ainsi, par principe et sans restriction, les figures héroïques successives que furent le jeune beur des cités, l'athlète noir victorieux dans une compétition sportive, ou l'humoriste franco-marocain enflammant les stand-up parisiens. Les choses s'étaient un peu embrouillées depuis. L'islam était venu tout compliquer, d'habiles idéologues s'étaient employés à raccorder directement le délitement de nos sociétés à la question de l'immigration, d'anciens gauchistes en appelaient désormais au *principe de réalité*: c'était à ne plus s'y retrouver.

«*Ce n'est pas nous qui sommes devenus réactionnaires, c'est le réel qui est devenu réactionnaire*», avais-je un jour entendu déplorer vertueusement un des éditorialistes de «l'Obsolète», chargé d'indiquer chaque semaine la voie étroite à des centaines de milliers de lecteurs. Ah! l'excellent homme! voilà qui était bien trouvé. Un peu de savoir-faire dialectique pouvait encore tout sauver, et rendre sa pureté à un camp de la gauche en train de renoncer. Laurent Môquet avait du reste trouvé la formule si propre à exprimer sa pensée qu'il l'avait dès la semaine suivante couché sur le papier.

Ce n'était pourtant qu'un début. Bientôt on entendrait des clercs se réclamant autrefois du Progrès déclarer que «*l'antiracisme*», c'était cela désormais le vrai crime universel, et qu'à trop le cultiver, il mènerait droit à une nouvelle liquidation des Juifs. Bientôt on verrait un spécialiste des droites extrêmes issu de la gauche radicale se spécialiser dans la dénonciation de l'«*immigrationnisme*», et traquer derrière chaque électeur socialiste un nouvel Eichmann. Bientôt on lirait un essayiste à cheveux longs autrefois familier de «l'Obsolète», Pascal Bruckner, revendiquer dans *Le Figaro* de porter le qualificatif de réactionnaire comme un «*titre de fierté*».

J'avais pourtant connu le temps, autour de 2002, où il était fortement déconseillé d'écrire le néologisme

« *droit-de-l'hommiste*» dans un article, à moins de vouloir passer à l'instant-même pour un suppôt du parti du Diable, la chose vous étant explicitement signifiée. J'avais connu l'époque où l'on devait fournir des explications, jusque tard le soir dans le bureau du directeur pour avoir cité en bonne part le nom d'un intellectuel de centre droit comme Marcel Gauchet, curieusement perçu par la hiérarchie de «l'Obsolète» comme le nouveau Maurice Barrès, chantre nationaliste de la terre et des morts.

Dix ans plus tard, les consignes du temps s'étaient comme inversées. Ledit rédacteur en chef du *Débat*, Marcel Gauchet, jusqu'alors bras droit discret de Pierre Nora, était devenu une autorité écoutée par toute la gauche d'appareil. On prenait les conseils de ce « *républicain sincère*» jusqu'à l'Élysée, et le journal *Libération*, dans le fauteuil directorial duquel Laurent Môquet avait comme toujours fini par revenir se caler, lui consacrait désormais de très suaves portraits. Dix ans plus tard, des individus compromis dans des tambouilles idéologiques ouvertement xénophobes bénéficiaient d'une étonnante indulgence à «l'Obsolète». Dix ans plus tard, il était extrêmement compliqué d'y écrire la moindre vérité au sujet de certaines figures de la gauche devenues de véritables héros de la Réaction, et célébrés en tant que tels dans les feuilles néofascistes qui se lançaient, ou connaissaient un regain de succès.

La glissade vers la droite de tout le spectre intellectuel et politique était continue, d'une profondeur inouïe. Et ce qui ne laissait pas d'étonner, c'est que, même parmi les journalistes qui comprenaient la situation, rares étaient ceux qui s'aventuraient à en fournir le saisissant tableau.

Dans un média se revendiquant de la gauche, le portrait mesuré d'un intellectuel violemment réactionnaire pouvait même valoir quelques années d'avancement. Le regard détourné passait pour de la modération, la lâcheté pour de la pondération. Le papier était alors cité en exemple, signe de votre « ouverture ».

Parmi ces personnages de penseurs pour chaînes d'information déchaînées, l'un était entre tous remarquable. À lui seul, Alain Finkielkraut, en dépit de ses caractéristiques insolites, incarnait la dérive de l'époque entière. Fils d'immigrés juifs polonais, il avait surgi en 1981, avec un livre inattendu et même courageux, *Le Juif imaginaire,* dans lequel il avait exprimé son refus de devenir un « *rentier de l'extermination* », et fait le point sur le rapport incertain qu'il entretenait à sa propre judéité.

Lue d'un peu près, *La Défaite de la pensée,* parue six années plus tard, œuvre qui lui apportera une notoriété définitive en même temps qu'une inaltérable posture d'atrabilaire, présentait déjà les prodromes de ses élucubrations futures. À la suite de son frère de lait intellectuel Pascal Bruckner, publiquement intervenu juste avant lui pour soulager la culpabilité de l'homme blanc, Alain Finkielkraut s'y employait à alerter contre la « *xénophilie* », cette passion dangereuse poussant à s'intéresser à la culture des autres, et sommait son lecteur de résister à l'absence de hiérarchisation entre les réalisations de l'ancien civilisateur et celles de ses pupilles. À l'époque, le fébrile agrégé de lettres jouait encore aux *Aufklärers,* à l'homme des Lumières revisitées. Le tout était donc soigneusement inscrit sous la bannière de l'universel. À bien y réfléchir cependant, *La Défaite de la pensée* ne transpirait que d'une seule épouvante, celle de voir les anciens colonisés relever la tête.

Par la suite, son parcours tiendrait toutes ses promesses. Au fil du temps, les prises de position tourmentées de l'homme se firent de moins en moins discrètement ultradroitières. Depuis les émeutes qui enflammèrent les banlieues en 2005, Alain Finkielkraut s'était notamment fait l'odieuse spécialité de harceler de reproches les enfants d'immigrés. Jamais ceux-ci n'étaient assez fondus dans la masse, jamais ils n'étaient assez aplatis devant les talismans de la République, jamais on ne parvenait à suffisamment les oublier. Son propre passé de fils de Polonais aurait pu le pousser à l'indulgence, à la fraternité même, vis-à-vis de ces enfants, à la compréhension de la morsure de l'exil intérieur avec laquelle ils devaient vivre, quoiqu'étant, pour la plupart, nés ici. Au contraire, elle lui servait de promontoire d'où distribuer ses leçons. Et qu'importe si l'éducation d'excellence dont il avait bénéficié dans les années 50 n'existait plus de longue date pour ces enfants-là. Lui n'avait pas cherché à s'imposer à la France, il s'était incorporé en elle.

Quoique son identité juive n'ait cessé de le hanter toujours davantage au fil du temps, jusqu'à adopter des positions parfois extrémistes sur certaines radios communautaires, cela n'avait pas le moindre rapport. Lui pouvait cultiver deux identités, deux tendresses nationales. Eux n'y avaient nullement droit. Brandir un drapeau algérien un soir de match ou manger un couscous hallal signait la trahison. L'essayiste Alfred Fabre-Luce, qui finira incarcéré à la Libération, avait autrefois adressé ce même reproche de « *double allégeance* » aux Français juifs, mais là encore il eût été vain de le rappeler à Alain Finkielkraut, d'une part parce qu'il le savait parfaitement, d'autre part parce qu'il ne se possédait plus dès lors qu'il était question de jeunes métèques à capuches.

Ainsi cet homme mûr ne rougissait-il pas, par exemple, de reprocher à des enfants le port d'un prénom trop typé, signe de leur patente incapacité à s'intégrer. Ne pouvaient-ils, après tout, s'appeler Alain ou Pascal, comme tout le monde ? Il eût été difficile de dire avec exactitude de quel ravage intérieur ces partis pris de plus en plus scabreux étaient au juste le produit. Assurément il y avait là quelque chose de la névrose inconsciente du dernier arrivé, qui claque sans pitié la porte de la nation à la face des pauvres hères cherchant encore à y entrer. Une longue observation du personnage m'avait toutefois permis d'y déceler une authentique angoisse. Une confiance finalement pas si grande que cela en la France, dont il ne cessait pourtant avec exaltation de vanter la grandeur, alors même que c'est à la trahison de ce pays-là que son propre père devait d'avoir été déporté à Auschwitz.

Dans cette façon qu'avait Alain Finkielkraut de pointer sans relâche les nouveaux immigrés, il y avait une manière déplaisante de se ranger à la loi du plus fort, de se placer résolument du bon côté, celui de l'État et de son ordre, au cas où le temps des coups durs reviendrait. La fierté presque enfantine et le zèle de bon élève avec lesquels l'homme se revendiquait des institutions qui l'accueillaient trahissaient cette peur de fond, que ce soit France Culture où il disposait d'une émission très écoutée, l'École polytechnique, où il avait longtemps conféré devant des matheux distraits, ou encore l'Académie française, où on le verrait un jour s'émerveiller d'être accueilli « *au son du tambour* ».

Mû par ce désir sans doute largement irréfléchi de protection, il se trompait lourdement de stratégie cependant. L'antisémitisme, passion fondamentale, ne disparaîtrait jamais. Certains événements récents laissaient même penser que cette lèpre-là ne demandait qu'à se réinfecter dans les troupes du parti du Diable, dont Alain Finkielkraut, en dépit de ses prises de distance roublardes, était pourtant devenu au fil du temps une sorte de « compagnon de route » objectif.

Ce qui était étrange, dans le cas Finkielkraut, c'était l'immunité totale dont il semblait jouir dans le pays, renaissant plus fort encore après chaque obscénité nouvelle lâchée dans l'espace public. Une ancienne gloire du journalisme italien, Oriana Fallaci, avait comparé l'immigration maghrébine qu'elle voyait déferler sur l'Europe à la prolifération de « *rats* ». Alain Finkielkraut avait aussitôt pris sa défense. L'équipe nationale de football français était notoirement bigarrée. L'homme s'en était indigné dans un entretien accordé au quotidien israélien *Haaretz*. L'écrivain Renaud Camus vomissait à longueur de pages les citoyens basanés et avait même fondé un parti afin d'en débarrasser le pays. Il lui conservait toute sa respectueuse amitié et faisait publier leur correspondance dans le mensuel *Causeur*.

Les faits étaient là, connus de tous, exposés en place publique, mais gare à qui s'aventurait à les qualifier. Ce personnage-là avait même fini par devenir l'intellectuel le plus célébré du pays, tandis que les périodiques les plus extrémistes en avaient fait leur « voyant ». Même dans une rédaction se revendiquant de la gauche, s'en prendre à lui exposait à des désagréments sans fin. Un article critique sur Finkielkraut, c'était une semaine flinguée pour un journaliste, et parfois même un mois de négociations empêtrées pour la direction d'un journal.

Son arme c'était le téléphone, dont il harcelait sans vergogne les employeurs de ceux qui le contrariaient. À l'époque où je travaillais comme directrice adjointe de *Marianne*, il avait par exemple réussi à passer un droit de réponse parfaitement injustifié, profitant d'un déplacement à Istanbul qui m'avait tenue éloignée quelques jours du journal. Dans ce genre de pratiques peu glorieuses, il avait largement fini par dépasser un virtuose comme Bernard-Henri Lévy. À «l'Obsolète», ancien temple de l'antiracisme, il jouissait désormais de protections puissantes. Les compliments dont il embaumait en permanence le fondateur du journal Jean Joël avaient fini par porter leurs fruits. Soucieux de couvrir ses mauvaises actions, Alain Finkielkraut cherchait en permanence à enrôler sous sa bannière d'anciennes gloires de l'anticolonialisme français. Ainsi citait-il souvent en bonne part l'anthropologue Claude Lévi-Strauss, qui n'était plus là pour se défendre, ou Jean Joël, dont chacun savait qu'il n'était pas insensible aux témoignages d'allégeance.

Sa réception à l'Académie française, le 28 janvier 2016, aurait mérité d'être disséquée comme l'un des événements les plus politiques de toute la décennie. Il ne se trouva cependant pas un seul journal pour avoir l'audace, ou même l'envie, de le faire. Ce n'était évidemment pas le fait de voir entrer sous la Coupole un intellectuel ultra-droitier qui fascinait dans cette affaire, l'institution étant le lieu naturel pour l'accueil de ce genre de personnages. Ce n'était pas davantage le fait, pourtant invraisemblable, de voir un fils de déporté prononcer l'éloge d'un collaborateur condamné à quinze ans de travaux forcés, Félicien Marceau, afin de s'asseoir dans le fauteuil sans doute le moins convoité de l'Académie. Ce qui fascinait, c'était la composition des soutiens mondains d'Alain Finkielkraut, qui offrait comme la géographie d'un nouveau continent politique aux rivages menaçants.

Dans son « comité de l'épée », ainsi qu'on appelait le cercle de donateurs sollicités pour réunir les cent mille euros nécessaires à la confection d'un trousseau d'académicien, on trouvait ainsi le Tout-Paris de la nouvelle gauche de droite. Un ex-directeur de « l'Obsolète », devenu l'un des dirigeants du groupe Lagardère, ainsi que sa compagne, ex-mannequin fort célèbre, avaient notamment beaucoup œuvré pour le bien-être vestimentaire du grand homme. « *J'aime l'idée que ce Juif polonais devienne le nouveau Barrès, le chantre de la nation, le porte-parole de la culture française* », avait déclaré sans ambages l'ex-normalien trotskiste devenu un temps *cost killer* à « l'Obsolète ». À côté du nouveau géant des télécoms Patrick Drahi et du milliardaire François Pinault, on trouvait encore d'autres figures historiques de « l'Obsolète », qui avaient, elles aussi, mis la main à la poche pour payer les boutons de culotte d'Alain Finkielkraut. Une intellectuelle proche de François Furet, historienne de référence du journal et proche de Jean Joël, ainsi que l'ancien directeur délégué qui était parti éditorialiser à *Marianne*.

Outre l'un des piliers du quotidien *Le Monde*, ils y côtoyaient en toute cordialité une nouvelle égérie de la réaction néorépublicaine décomplexée, ainsi que le nouveau directeur de la rédaction du *Figaro Magazine*, qui avait été recruté dans les rangs de *Valeurs actuelles.* Le fondateur de «l'Obsolète», Jean Joël, avait cette fois eu le flair de ne pas mêler son nom à cette mascarade pour laquelle il avait été sans relâche sollicité. Au dernier moment, surpris par sa propre témérité, il n'avait toutefois pas trouvé la force de ne pas se rendre à la cérémonie, où l'on avait donc pu le voir assis aux côtés de Véra, la femme d'un ancien géant de la littérature tchèque qui, lui aussi, avait de longue date succombé au chant des sirènes finkielkrautiennes, et cela jusqu'à participer à ce naufrage mondain.

Au nombre des académiciens qui avaient tout fait pour rabattre ledit Finkielkraut vers le Quai Conti, on comptait également Max Gallo, ancien porte-parole socialiste sous François Mitterrand, et bien sûr l'inévitable Pierre Nora, puissant historien de cour et intime de Jean Joël. À l'impétrant, Nora avait réservé, pour le jour de la cérémonie, un discours redoutable autant par son brio que par la cruauté de ses insinuations. Sous couvert de louanger le lauréat endimanché du jour, il n'avait cessé de pointer les faiblesses de son œuvre et de son caractère, depuis sa manie de faire courir sa plume de citations en citations, jusqu'au ressassement obsessionnel qui lui tenait souvent lieu de pensée.

L'essentiel n'était cependant pas là, la méchanceté de Pierre Nora étant devenue proverbiale, notamment à l'égard de ses amis, qui étaient les premiers à y être exposés et par conséquent à la redouter. Le point important était que, dès les premières minutes de son discours de réception, Nora avait surtout procédé à un effacement complet des ardoises idéologiques pourtant chargées d'Alain Finkielkraut. Après avoir souligné le désaccord qu'il avait longtemps entretenu avec l'intellectuel concernant les causes de la désintégration française, Pierre Nora décelant là une faiblesse propre à notre République, tandis que Finkielkraut mettait en cause sans détour l'Islam, l'hôte avait ajouté une phrase terrible. «*Peut-être les événements de cette dernière année sont-ils en train de me donner tort*», avait glissé Pierre Nora, se référant aux différents attentats djihadistes qui avaient ensanglanté l'an 2015 en France. Ainsi le blanc-seing donné au nouvel académicien était total. Sur les questions d'identité aussi, la «deuxième gauche» était en train d'achever sa mue en deuxième droite.

De xénophobe compulsif, Alain Finkielkraut se voyait donc promu en précurseur courageux, le tout sous les yeux mêmes du chef du gouvernement socialiste, qui avait tenu à assister à ce tableau, assis au premier rang, sourire frémissant de midinette sur les lèvres. Voilà où en était la gauche libérale, européenne, et progressiste. À écouter béatement l'éloge d'un collaborateur par un réactionnaire vedette. «*Bien souvent je me retrouve dans sa pensée, ses écrits et ses déclarations*», avait déclaré Manuel Valls à un journal libéral supposément ennemi de sa politique qui lui avait consacré un portrait enthousiaste. La veille de cette cérémonie, la dernière ministre de son gouvernement à se barder encore de principes, Guyanaise de caractère et symbole honni de la droite la plus rance, avait choisi de tirer sa révérence.

14

La double pensée

Lorsqu'un système atteint un tel degré d'imposture, les points de tension deviennent extrêmes au sein du personnel chargé d'assurer sa maintenance quotidienne. Certains craquent, se referment dans le silence ou la honte. D'autres tiennent le coup. Ce sont généralement les plus vides, les plus faux, ceux qu'une névrose personnelle a mis à l'unisson d'un régime de mystification généralisée. Or les mots de la politique en étaient venus, au sein des élites dirigeantes du pays, à désigner l'exact contraire du sens que l'usage ordinaire ou l'histoire entière leur accordait.

Ainsi le partage entre la droite et la gauche avait-il perdu toute substance, tant une même uniformité libérale et autoritaire régnaient désormais d'un bord à l'autre. Et la merveille de l'opération, sa touche de perversion ultime, c'était que ceux-là mêmes qui avaient tout mis en œuvre pour en arriver là n'hésitaient pas à s'en lamenter avec une sincérité qui ne semblait pas feinte. « *Oui, la gauche peut mourir…* », alertait par exemple le Premier ministre socialiste qui se vantait de penser à l'unisson d'Alain Finkielkraut, icône vivante de toute la droite.

On comprendra dans ces conditions que l'organe de la gauche officielle que «l'Obsolète» s'acharnait encore à être ne parvienne plus à se désigner, ni même à se connaître lui-même. Quand, par extraordinaire, on arrivait à arracher à Jean Joël une définition de la gauche, il s'en tirait avec une phrase énigmatique, tantôt attribuée à Foucault, tantôt à Sartre: «*La gauche existe, mais elle ne sait pas qui elle est*». Poussé dans ses retranchements, le fondateur pouvait aussi à l'occasion en venir à invoquer évasivement «*la défense des humiliés*», sans renseigner son interlocuteur davantage.

Du côté du nouveau directeur de la rédaction de «l'Obsolète», celui que l'ogre des télécoms et ses associés avaient placé là, l'exercice pouvait donner lieu à des résultats plus réjouissants encore. Être de gauche, c'était avant tout ne pas être de droite, pour ce garçon peu porté à la spéculation. «*Chacun comprend cela,* pontifiait-il d'une voix ralentie, comme artificiellement posée. *Tout le monde connaît les engagements de l'Obsolète.*» Ce genre d'évocation vague suffisait selon lui à clore l'affaire, le reste n'étant que discussion sur le sexe des anges destinée à divertir quelques universitaires. Lorsque, sommé d'aller plus loin, il tentait néanmoins de pousser les gaz, cela pouvait donner dans ses éditoriaux des choses comme celles-ci... être de gauche, «*c'est penser l'infiniment grand en trouvant des solutions qui améliorent l'infiniment petit, c'est-à-dire le quotidien des gens*». Le genre de phrases qui aurait peut-être convenu à une réclame de compagnies d'assurances, mais qui peinait à redonner un cap au navire amiral de la gauche, même très amorti. D'autant moins que l'azimut était totalement perdu désormais, et que d'anciennes figures tutélaires de «l'Obsolète» n'hésitaient plus à accorder des entretiens à la revue de l'extrême droite païenne, *Éléments*.

Un mot servait toutefois encore de feuille de vigne dans ce journal, alors que le terrain idéologique français entier était en train de s'effondrer, et qu'on ne savait plus à quel faux-semblant se raccrocher. Ce mot, en apparence inoffensif, c'était celui de «social-démocrate» qui, je l'ai dit, figurait dans la fameuse «Charte» encadrant la liberté de conscience de tout individu recruté par «l'Obsolète». C'est du reste sur la base de ce seul mot-là que Claude Rossignel s'appuierait un jour pour justifier mon élimination. «*Notre journal est d'inspiration sociale-démocrate*», rappellerait-il solennellement à l'occasion du conseil de surveillance qui rendrait publique la chose. Or, aux yeux de l'industriel, sans doute plus calé en *design* de cabines de douche qu'en philosophie politique, j'avais transgressé cet article de foi, et je m'appliquais même à faire publier «*des articles anti-démocratiques*». Que pouvaient bien signifier ces mots-là ?

Par une singulière ironie de l'histoire, c'est à Karl Marx que l'on devait d'avoir popularisé le mot de «social-démocratie», ainsi qu'un des «*amis du journal*», Michel Rocard, l'avait lui-même rappelé un jour dans «l'Obsolète». Cela, bien sûr, il eût été inutile de le signaler à Claude Rossignel, qui au seul nom de Marx était déjà en état d'alerte, et n'aurait pas davantage pu croire que la philosophie tout entière était née d'une critique radicale de la démocratie, au IVe siècle avant Jésus-Christ.

Dans *Le 18 Brumaire de Louis Bonaparte*, Karl Marx avait ainsi désigné par le nom de «sociaux-démocrates» les courants socialistes récemment nés en France. La figure la plus éminente qui s'en détachait était un dénommé Pierre Leroux, adversaire acharné du libéralisme, partisan d'un socialisme ouvrier qui passerait, disait-il, par une destruction de l'individualisme. Son principal héritier, le seul à se réclamer sans relâche de son œuvre aujourd'hui, était un philosophe solitaire du sud de la France nommé Jean-Claude Michéa, dont je lisais l'œuvre avec attention depuis le début des années 2000, et qui m'avait conservé son amitié, en dépit de l'horreur que lui inspiraient les renoncements de «l'Obsolète». En somme, les derniers «sociaux-démocrates» du pays, au sens historique du terme, étaient en guerre intellectuelle contre ce journal, qui, à leurs yeux, avait largué tous les principes élémentaires du socialisme au profit d'une défense inconditionnelle des forces de l'argent.

À l'image de la gauche qui était alors au pouvoir, le journal de Jean Joël avait bien sûr de longue date fait ses adieux à la social-démocratie, c'est-à-dire à toute volonté de protéger la société des effets destructeurs des marchés. Sans relâche, le service «économie» s'extasiait de la mise sous tension libérale de tous les métiers. Une orthodoxie budgétaire de fer s'y voyait prônée, les plus absurdes politiques européennes justifiées, et les figures patronales les moins reluisantes régulièrement encensées. Le nom de «socialisme» lui-même était regardé comme une vieillerie que «l'Obsolète» traînait non sans honte, notamment face aux publicitaires qu'il aurait tant aimé aguicher. Mieux vaudrait résolument s'en débarrasser, l'effacer, avait du reste pu affirmer sans circonlocution le Premier ministre socialiste dans l'entretien qu'il avait accordé à « l'Obsolète » en 2014, à l'occasion du grand toilettage du journal.

La une de ce numéro historique, qui avait valu à « l'Obsolète » un prix décerné par la corporation, avait été placardée par deux mètres sur quatre dans le hall d'entrée. Ainsi, dès le seuil de « l'Obsolète », le visage monumental de Manuel Valls, percé par un regard noir de dément, fixait les visiteurs et leur assénait cette phrase, écrite sur la couverture : « *Il faut en finir avec la gauche passéiste* ». Les standardistes qui travaillaient dans le hall avaient à plusieurs reprises demandé la permission de décrocher l'envahissant panneau, et certains journalistes avaient aussi émis le souhait de s'en débarrasser. Jamais le directeur de la rédaction ne voulut céder. Le gigantesque portrait, digne d'un démocrate nord-africain, y trônait donc encore, terrifiante allégorie d'une gauche en train de se dévorer elle-même, mais qui avait au moins le mérite d'annoncer la couleur sur ce qui était en train de se passer idéologiquement dans ces lieux.

Ledit Premier ministre, petit homme colérique aux idées simples, était devenu l'enfant chéri de « l'Obsolète ». Le chef du service politique en était entiché, et dans bien d'autres endroits encore, comme *Marianne*, sa gauche en peau de lapin et ses postures de matamore faisaient recette. Je l'avais autrefois rencontré à l'occasion d'un déjeuner de la rédaction, lorsque je travaillais pour ce dernier journal, pendant la campagne présidentielle de 2012. Manuel Valls était alors totalement effacé, comme empêtré dans une absolue servilité à l'égard du candidat qu'il escortait en tout lieu. François Hollande, d'humeur enjouée et comme transfiguré par le succès qui l'annonçait dans quelques semaines à l'Élysée, s'amusait manifestement à jouer avec ses nerfs catalans à vif. À la question attendue de l'un des échotiers présents, lui demandant s'il envisageait un jour de nommer Manuel Valls à Matignon, le futur président avait répondu: « *Trop à gauche.* » La table entière avait ri d'un même éclat, chacun connaissant les convictions libérales-droitières extrémistes du personnage, et Manuel Valls, cramoisi de confusion et d'agacement, n'avait plus ouvert la bouche jusqu'au service des sorbets.

Nommé chef du gouvernement, il était entre-temps devenu l'un des plus stupéfiants praticiens de ce qu'Orwell avait jadis appelé la « *double pensée* ». Assurer deux choses totalement contradictoires, et croire en même temps aux deux, avec la même conviction. Asséner avec force une idée, tout en appliquant exactement l'idée contraire, sans remarquer le moins du monde le problème. Affirmer, par exemple, la nécessité de suspendre certains droits démocratiques, et en même temps que le gouvernement est le gardien de la démocratie. Ce genre de torsions mentales semblait tout à fait spontané à Manuel Valls, qui s'était longtemps pris pour un Tony Blair français, avant de s'épanouir en héritier autoritaire de Guy Mollet. Ainsi pouvait-il redouter la mort de la gauche, tout en réclamant la même année dans les colonnes de « l'Obsolète » que la gauche explosât enfin afin d'opérer une clarification. Ainsi pouvait-il piétiner le vote des parlementaires à grand renfort d'arbitraire, tout en affirmant que sa mission était de consolider la démocratie. Ainsi pouvait-il s'attaquer avec une brutalité sans équivalent au Code protecteur du travail, à seule fin affichée de donner plus de pouvoir aux travailleurs. Ses raisonnements étaient à la fois totalement tordus et absolument sincères.

Il incarnait la langue d'un nouveau pouvoir. Un pouvoir qui n'était pas cynique, au sens où celui-ci aurait clairement assumé qu'il mentait. Manuel Valls n'était pas cynique. Il ne savait pas qu'il mentait. Il faisait partie des rares individus à coller absolument à cette langue d'un nouveau genre. La langue de la gauche après sa propre mort. Au fond, tout le monde ou presque savait que le socialisme d'appareil n'était plus qu'un mausolée sinistre, un *poltergeist* sans vie qui ne pouvait pas mourir pour l'unique raison qu'il était déjà mort. La plupart des cadres de la rue de Solférino en avaient eux-mêmes la pleine conscience. L'important était que la chose ne fût pas dite. L'important était qu'il reste des journaux et des clercs en charge de ne surtout jamais écrire ce que tout le monde savait. À savoir que cette gauche-là ne vivait plus que sur une adversité feinte, pour garantir un certain nombre de prébendes, sauver des conseils généraux et le plus grand nombre de postes d'élus.

« L'Obsolète » était de ces lieux-là. Les directeurs qui s'y succédaient devaient partager ce savoir spontanément, sans jamais qu'il eût à être formulé. À ce jeu, la pauvreté de la langue et le simplisme conceptuel étaient de vraies forces. Certains des cadres de « l'Obsolète » y étaient à cet égard parfaitement adaptés. À les entendre parler cette langue du néant, on n'aurait su dire s'ils étaient totalement creux ou entièrement pervers.

L'important c'était aussi de repérer tout individu susceptible de s'émouvoir du subterfuge, et de réussir rapidement à le neutraliser. Si la gauche, en perdant son surmoi populaire et marxiste au début des années 80, avait vu son astre pâlir jusqu'à devenir une autre droite, il fallait que toute personne qui en ferait l'observation passe à l'instant pour un extrémiste. Un garde rouge radicalisé. Avec cette engeance-là, il ne fallait pas hésiter à brandir les morts du communisme. La chose se faisait encore couramment à « l'Obsolète », soixante ans après la déstalinisation de l'Union soviétique. Aussi invraisemblable que la chose paraisse, un des jeunes rédacteurs en chef les plus couvés par la direction aimait, il y a peu encore, à coincer dans les couloirs quelques subalternes à son goût trop marqués politiquement pour marmonner invariablement sur leur passage : « *Cent millions de morts…* ».

C'était à la fois saugrenu et totalement odieux. L'une de ses « cibles » attendit plusieurs années avant de se confier un jour sur ce harcèlement d'un genre inédit. C'était à n'en pas revenir. L'idéologie molle qui régissait en apparence « l'Obsolète » sécrétait ainsi des persécutions idéologiques d'une incroyable dureté. C'était peut-être cela, justement, le vrai secret du régime : sa décomposition était si avancée qu'il avait désormais besoin de violents efforts de contention pour la masquer.

15

« Non serviam »

Il était difficile d'imaginer que, face à un système aussi performant dans l'identification de déviances même minuscules, un individu puisse réussir à passer à travers les gouttes des années durant. Avec le recul, je ne peux du reste m'expliquer entièrement l'anomalie que j'avais fini par devenir, ou alors seulement par l'appui de quelques singularités à tous égards remarquables, qui avaient longtemps maintenu un champ de forces favorable à mes évolutions imprudentes au-dessus du volcan. Parmi elles on comptait le chef du service culture de « l'Obsolète », Jérôme Garcin, personnage rétif à faire régner quelque persécution idéologique que ce soit au sein de la troupe, ou encore Jacques Julliard, qui me fit un temps rejoindre *Marianne*, lorsque la vie devint vraiment impossible à « l'Obsolète ».

Ils avaient pour point commun d'appartenir à l'ancien monde, celui où la langue de l'information continûment matraquée n'avait pas encore abrasé tout effort de pensée, et même toute réserve de poésie. Un monde en train de s'éloigner de nous désormais, où le journalisme était encore un art des mots et de l'intelligence, et pas une fabrique industrielle d'événements jetables, pleine de bruit et de fureur, et qui ne signifiait rien.

En 2014, j'avais toutefois fini par être rappelée à «l'Obsolète» pour y être nommée numéro deux, à la stupeur de certains anciens commissaires politiques du journal, en retraite ou en exil désormais, qui y avaient vu la preuve que leur mission passée avait été un échec complet. Ce destin-là ne devait en vérité pas grand-chose aux canaux habituels de l'ascension dans le monde des médias.

La femme d'un célèbre créateur de presse, elle-même productrice d'une émission télévisée dans laquelle j'officierais plusieurs années durant, m'avait un jour invitée à déjeuner autour de 2006 dans un calme restaurant du 16e arrondissement afin de me prodiguer ses conseils. «*Si tu dois faire une carrière, il va falloir que tu songes à passer à une autre étape. Tu dois te rapprocher d'un grand capitaliste maintenant. Il faut que tu aies un protecteur au sommet, personne ne peut s'en passer.*»

Joignant l'occasion à la parole, elle m'avait aussitôt préconisé la réalisation d'un documentaire compréhensif sur un célèbre milliardaire breton, amateur d'art contemporain, qui possédait plusieurs titres de presse. Au sein de la télévision publique, cette brune orageuse et attachante détenait entre autres la production de la série «Estampilles», où toutes les célébrités de la politique, des médias et de la culture se faisaient tirer le portrait dans de fades petits films de 50 minutes, dont le principal intérêt, je le découvrais, était de faciliter le mécanisme des ascensions parisiennes. Je ne donnai pas suite. Non par excès de probité, simplement parce qu'après avoir parcouru mollement en rentrant la biographie de cet intime du président de la République qui venait d'acquérir le Palazzo Grassi à Venise, j'avais trouvé fastidieux de m'engager dans cette aventure servile, dont je ne doutais pas un instant d'avoir un jour à rougir. « *Grimper ou ramper sont une même chose. Tout est une question d'inclinaison de la pente.* » Une fois encore je saluais la justesse parfaite de Nietzsche.

Non contente de n'avoir pas le moindre protecteur dans le monde des affaires, contrairement aux préconisations avisées de la productrice, il me faut encore préciser que, au fil des années, je m'y étais fait des ennemis puissants, et en grand nombre. Un certain Alain Minc, véritable plaque tournante de toutes les ambitions de l'époque, m'avait entre autres férocement prise en grippe, suite à une série de papiers il est vrai peu bienveillants sur les œuvres mi-plagiées mi-négrifiées qu'il publiait chaque année, avec la régularité d'un métronome. Alors président du conseil de surveillance du *Monde* et proche de Claude Rossignel, il m'avait même gratifiée de SMS injurieux à l'occasion de la recension de l'un des essais qu'il venait de publier aux éditions Grasset. Chaque fois que le nom de « Minc » tintait sur l'écran de mon téléphone portable, il faisait rire aux éclats mon petit garçon. C'est que le conseiller du CAC 40 et visiteur du soir de l'Élysée, barde de la globalisation enchantée et oracle de toutes sortes d'autres prévisions démenties, n'hésitait pas à se définir désormais, en pleine crise financière de 2008, comme « *le dernier des marxistes français, à certains égards* ». L'occasion était trop belle de jouer une nouvelle fois à le tourmenter. Là encore, je fonçais droit sur un nid de frelons sans m'en soucier, ni même distinctement y penser. Ces gens demeuraient pour moi des abstractions. Je ne souhaitais ni les connaître, ni les servir. «*Non serviam.*» Ils étaient pour moi comme la distribution variée d'un drame comique qui semblait avoir été monté sur les tréteaux parisiens à l'unique fin de nous distraire, mes amis et moi. Mes relations dans le milieu étaient avant tout ce que Balzac appelle des «*gens à gloire posthume*», écrivains désargentés et intellectuels épris d'intégrité, qui préféraient les courses folles à travers les champs de la pensée à la vie confortable des essayistes prostitués.

Des années auparavant, l'une des premières femmes à avoir été nommée chef de service à «l'Obsolète», fille du fondateur du groupe Danone, et grande connaisseuse des mœurs du milieu médiatico-affairiste, m'avait pourtant mise en garde. «*N'attaque jamais Minc, tu m'entends. Il est la clé du système, même si ce n'est pas toujours apparent. Dis-toi qu'il n'oublie rien, et qu'il se venge toujours.*» Devant mon insistance à voir malgré tout paraître un nouvel article consacré à l'une de ses frasques désastreuses, elle avait regardé pensivement par la fenêtre. «*Voilà ce qu'on va faire. Tu vas tourner le papier de façon générationnelle. Une espèce d'interpellation à une génération qui s'est perdue, tu vois l'idée…*» Avec une pointe de fébrilité, l'héritière, patronne de toute l'économie à «l'Obsolète», avait ajouté: «*C'est la seule solution pour rendre cet article à peu près inoffensif. Il faut te protéger, crois-moi.*»

Aujourd'hui que Christine a disparu, dans des circonstances tragiques, sa bienveillance à mon égard, jamais démentie au fil des années, m'émeut plus que jamais. À l'époque je ne l'avais pas écoutée, refusant obstinément d'émasculer mon papier, obligeant par là même l'une des âmes damnées de la direction à trousser un portrait avantageux du grand homme quelques semaines après les faits pour, selon l'usage, replâtrer tant bien que mal nos relations avec cet « *ami du journal* ».

Maintenant que le soleil de son influence avait décliné, et qu'Alain Minc ne projetait plus ses grandes ombres menaçantes à l'horizon des rédactions de la ville entière, il était tout de même amusant de noter que le Paris des affaires était un manège d'où certains ne disparaissaient jamais tout à fait. Quantité de liens tortueux, émoussés ou parfois même encore intacts, le reliaient encore aux propriétaires de « l'Obsolète ». On savait qu'il avait encore l'oreille du vieux Claude Rossignel, notoirement fidèle à ses amitiés, et aussi qu'il partageait depuis la nuit des temps les bureaux du principal associé de l'un des nouveaux actionnaires du journal. Quant au banquier d'affaires, fantasque associé de l'ogre des télécoms, quoique désormais brouillé avec Minc, c'est à ce parrain des affaires que, jeune haut fonctionnaire, il devait tout simplement d'avoir été recruté chez Lazard Frères au début des années 2000.

S'il est un ennemi entre tous qui ne risquait pas un jour de m'oublier, c'était toutefois Bernard-Henri Lévy, le sentencieux maître à penser de « l'Obsolète ». Un « *ami du journal* » là encore, dont les fondateurs admiraient autant la fortune qu'ils appréciaient l'art consommé de la flagornerie. Nombreux étaient les membres du journal à avoir déjà bénéficié des commodités du palais de la Zahia, son luxueux riad à Marrakech. Rares étaient ceux qui refusaient cette faveur aussi encombrante à porter par la suite qu'un collier d'esclave, tant elle se payait en menus services de plume rendus toute une vie durant.

Nos relations n'avaient jamais été au beau fixe depuis mon entrée au journal, mais, jusqu'en 2010, Bernard-Henri Lévy n'avait jamais perdu tout espoir de me retourner. Un de ses proches entremetteurs de la rue des Saints-Pères m'avait notamment appelée en 2004 pour m'annoncer que le parrain de Saint-Germain m'avait « élue » pour l'interroger au sujet de l'enquête romanesque qu'il s'apprêtait à faire paraître sur Daniel Pearl, otage américain décapité par ses ravisseurs au Pakistan.

Ils avaient pensé à tout. « L'Obsolète » serait la tête de pont d'un débarquement massif en librairie, et dans ce dispositif quasi militaire, j'étais la potiche idéale de l'année, celle qui saurait faire reluire les visions inspirées de l'homme au fil d'un entretien-fleuve émaillé de photographies édifiantes. Soufflée par le procédé, j'avais expliqué au commis de « Bernard » que, naturellement, il n'en était pas question, et qu'au demeurant seul un spécialiste chevronné de la géopolitique du Moyen-Orient serait qualifié pour interroger l'auteur sur une telle affaire. J'avais beaucoup insisté sur ce dernier point. Connu pour ses poses de séducteur au bronzage ignorant les saisons, l'éditeur-négociateur était consterné. Décidément, je manifestais un entêtement étrange, et pour ainsi dire inquiétant. On ne pouvait tout simplement pas « traiter » avec moi. Avec le chef des pages culture, nous avions finalement eu l'idée de dépêcher une gloire du journalisme en retraite pour recueillir la parole du Malraux d'Islamabad, et nous avions bien ri en imaginant le dépit de l'homme.

Les événements qui se produisirent au début de l'année 2010 mirent toutefois un véritable coup d'arrêt à ces « non-relations » à distance, mi-hostiles mi-joueuses. Là encore, je n'avais pas manqué de mises en garde solennelles. Même mon ami Philippe Muray, peu réputé pour sa pusillanimité, m'avait prise par l'épaule : « *Si vous vous en prenez à Bernard-Henri Lévy, on vous coupera l'électricité, et un jour, les éboueurs ne passeront plus dans votre rue.* » Le mot m'avait fait rire, mais quelques années plus tard je dus admettre qu'il comportait un noyau de sérieux. En parcourant les épreuves du nouveau livre de Bernard-Henri Lévy, *De la guerre en philosophie*, plaidoyer grandiloquent d'une centaine de pages en faveur d'une œuvre injustement décriée, la sienne, j'avais remarqué un détail proprement ahurissant.

À la page 122, « Bernard » s'en prenait au philosophe Emmanuel Kant, « *ce fou furieux de la pensée, cet enragé du concept* », en dégainant les soi-disant recherches d'un certain Jean-Baptiste Botul, qui aurait définitivement prouvé « *au lendemain de la Seconde Guerre mondiale, dans sa série de conférences aux néokantiens du Paraguay, que leur héros était un faux abstrait, un pur esprit de pure apparence* ».

L'auteur poursuivait son implacable diatribe contre le génie de Königsberg en s'appuyant le plus sérieusement du monde sur un simple canular, une pochade bien connue des lecteurs de philosophie appelée *La Vie sexuelle d'Emmanuel Kant*, qu'un journaliste du *Canard enchaîné* avait publiée dix ans auparavant. Ce penseur nommé Botul n'avait bien entendu jamais existé, et un simple feuilletage de ses prétendues conférences aurait dû suffire à le faire comprendre à Bernard-Henri Lévy. Le grand Kant y était présenté sans rire comme un obsédé refoulé, et sa vie sexuelle, comme l'une des plus graves questions de la métaphysique occidentale. Un des chapitres visait notamment à examiner «*le délicat problème de la masturbation*» d'un point de vue philosophique, et le reste de l'opus était loufoque à l'avenant.

«*Toutes proportions gardées, c'est un peu comme si Michel Foucault s'était appuyé sur un sketch de l'humoriste Fernand Raynaud pour sa leçon inaugurale au Collège de France*», écrirais-je dans l'article de «l'Obsolète» révélant le guet-apens dans lequel le philosophe préféré des médias et du CAC 40 s'était lui-même jeté.

Avait-il été la dupe de son esprit de sérieux? Il est certain que Bernard-Henri Lévy était réputé pour son absence de tout second degré. Lui avait-on, selon certains usages regrettables de l'édition, préparé des fiches de travail dont l'une s'était avérée tragiquement vérolée? L'énigme demeurait entière, même si je penchais toutefois pour la seconde hypothèse. Toujours est-il que son éditeur n'avait pas non plus repéré la bévue, et que la chose avait été imprimée en l'état et expédiée à l'ensemble de la presse.

En écrivant cet article, par un long dimanche ensoleillé, je pensais honnêtement n'atteindre que deux objectifs: me brouiller à jamais avec Bernard-Henri Lévy, et faire rire tout au plus deux ou trois arrondissements dans Paris. Sur le premier résultat, je ne m'étais pas trop trompée. L'homme confierait un jour à un patron de presse qui passait ses Noël chez lui à Marrakech, et s'était néanmoins mis en tête de m'embaucher que, s'il avait un peu d'amitié pour lui, il devait renoncer à ce projet. « *C'est la personne qui m'a fait le plus souffrir dans ma vie* », avait-il soupiré à mon propos. J'en avais conclu qu'il avait dû avoir une existence très heureuse.

Sur le second résultat, mes calculs étaient en revanche entièrement erronés. Ce fut une tornade, au contraire. Un éclat de rire mondial. À peine le papier avait-il été mis en ligne un lundi matin sur le site de « l'Obsolète », alors puissant pionnier du web, que le serveur avait rendu l'âme pour plusieurs heures sous l'effet du nombre extravagant de connexions. Le *Times*, la très sérieuse BBC, le quotidien espagnol *El Mundo*, *la Stampa* et la RAI italienne, le *Standaard* belge, *la Tribune de Genève*, la presse allemande, et bientôt l'ensemble des médias étrangers reprirent l'histoire, jusqu'au *Los Angeles Times*, chacun y allant de son commentaire assassin. Loin de la France, l'homme menait en effet régulièrement des campagnes médiatiques aussi éprouvantes pour les amis des idées que celles qu'il infligeait à son propre pays. Cette notoriété internationale, artificiellement gonflée par son invraisemblable entregent, était en train de se retourner en piège mortel.

C'est du reste en parcourant le *New York Times* à son domicile de la rue Vaneau que Jean Joël avait appris la mésaventure arrivée par la faute de son propre hebdomadaire à son « *glorieux cadet* », ainsi qu'il l'appelait avec affection. Le quotidien américain avait fait monter un billet sur le « *BHL gate* » en première page.

Ce fut pour moi le début d'une série de persécutions dont l'énumération ferait presque rougir, venant de personnages supposément sérieux, exerçant des responsabilités dans les principaux médias du pays. Le directeur de la rédaction alors aux affaires à «l'Obsolète» nous convoqua tout d'abord, moi et mon supérieur hiérarchique direct. Livide, il arracha l'article encore affiché au mur du journal pour le brandir sous notre nez. Invoquant la «Charte» du journal, qui était décidément propre à couvrir toutes sortes d'indignités, il tenta grossièrement de monter une faute à partir de cette affaire burlesque. Je n'avais pas appelé Bernard-Henri Lévy avant de le mettre en cause, répétait-il comme un possédé. Or, une telle chose ne pouvait se faire sans sommation. Le cas était donc d'une extraordinaire gravité. À ses yeux, j'étais au moins aussi dangereuse que le cybermilitant Julian Assange. Il avait honte pour « *le journal de Jean Joël*» qu'un incident pareil eût pu se produire.

Comme à chaque fois que l'occasion lui en fut donnée, ledit fondateur de «l'Obsolète» me lâcha également à l'instant. Ainsi Jean Joël dicta-t-il à la hâte pour le web un texte entortillé dans lequel il prenait la défense de cet «*ami du journal*», et n'hésitait pas à faire parler un mort prestigieux comme Emmanuel Levinas pour assurer que celui-ci lui aurait téléphoniquement confié, avant son décès, qu'il avait de l'estime pour Bernard-Henri Lévy et ses « *intuitions bibliques*».

Tout cela n'était pourtant qu'aimable prélude au tapis de bombes qui allait bientôt s'abattre sur ma tête. Durant un mois entier, c'est l'intégralité d'un champ médiatique français patiemment apprivoisé depuis plus de trente ans par le chanteur de charme de l'antitotalitarisme qui me couvrirait de crachats. Des radios publiques jusqu'à la chaîne Canal+, tous allaient lui ouvrir des tranches entières de matinales et d'*access prime time* pour se défendre contre l'odieux attentat commis par « l'Obsolète ». Le site Internet *Slate* évoquerait une « *atmosphère fascisante* » sous la plume d'un biographe redevable à l'homme, allant jusqu'à voir dans cette affaire une « *dernière étape avant l'ignominie* », c'est-à-dire avant le pogrom de « *Bernard-Henri Lévy, ce Juif* ». Un poussah néoconservateur tenant chronique chaque semaine dans *Le Figaro* dénoncerait « *l'air de la calomnie* », qui était en train de nous « *mener tout droit de l'affaire Salengro à la capitulation de Rothondes* ». L'ancien ambassadeur d'Israël en France, Elie Barnavi, évoquerait dans *Marianne* les fréquentations d'extrême gauche douteuses qui m'avaient probablement dicté ce papier. Des années plus tard, l'ambassadeur me présenterait des excuses à ce sujet. Peu importe, ces bruits visant à me discréditer ne cesseraient dès lors plus jamais de circuler.

Le quotidien *Le Monde* tenterait, de son côté, un sauvetage à plusieurs reprises, sous trois signatures différentes, le médiateur du journal écrivant noir sur blanc, pour finir, que l'apparente omniprésence de « *Citizen Lévy* » dans les médias s'expliquait simplement par « *un vrai talent de plume* ». Le journal *Libération* ferait courageusement cosigner ses deux rédacteurs en charge des sciences humaines pour certifier que ces erreurs-là arrivaient souvent, « *même chez les universitaires rigoureux* ».

Une ancienne candidate à l'élection présidentielle, Ségolène Royal, publierait enfin une tribune dans *Le Monde* pour dénoncer « *les chiens* » qui cherchaient à déshonorer un homme ayant voué sa vie à l'humanité entière. Le tout, faut-il le rappeler, pour un papier qui s'était borné à pointer de façon distrayante l'erreur commise par un pitre mégalomane dont chacun riait par-devers soi.

Qu'une telle affaire fût simplement possible constituait décidément un terrible symptôme. Ce Bernard-Henri Lévy, en soi, était un *hapax*, une bizarrerie à tous égards, mais la situation qui lui était faite, l'état d'exception permanent dont il jouissait, disait tout de la dégradation à peine concevable dans laquelle la société culturelle et médiatique française était tombée. Un monde s'était littéralement effondré. Paris était devenu une bauge à cochons, où toute personne encore éprise d'un certain idéal ne pouvait plus que se salir ou disparaître.

Il n'empêche que, au passage, le parrain de Saint-Germain avait été atteint. À maints égards, on aurait même pu dire que Bernard-Henri Lévy était entièrement remisé. Dans un inconscient français sans doute encore imprégné par la cour du Roi-Soleil, un «ridicule» public était manifestement plus grave que trente années d'impostures intellectuelles maintes fois dénoncées par les voix les plus autorisées du pays. Ainsi «l'affaire Botul» avait-elle triomphé de lui, là où la révélation de mensonges sur sa soi-disant amitié avec un mythique combattant afghan l'avait laissé intact, là où les dizaines d'erreurs pointées dans un seul de ses livres par l'historien Pierre Vidal-Naquet avaient échoué à l'atteindre.

Ce n'est guère qu'un an plus tard que Bernard-Henri Lévy eut l'idée qui lui permit de refaire les gros titres des journaux. Un projet fou lui traversa l'esprit. Les printemps arabes battaient leur plein sans qu'il s'en soit jusqu'ici soucié. D'un seul coup il s'envola pour Le Caire, puis pour la Lybie, d'où il appela le président Sarkozy afin de l'inviter à reconnaître l'incertain gouvernement des rebelles. Ce président avait toujours eu de la tendresse pour les faucons, et lui aussi avait à cœur de se divertir d'une situation intérieure désespérée pour ses ambitions. Une pétition fut publiée le 16 mars en faveur de frappes militaires hors de tout mandat international. Certains intellectuels achevèrent de se discréditer en y apposant leur nom. Le *Frankfurter Allegmeine Zeitung*, grand quotidien allemand, constata que cette éclaircie guerrière offrait une échappatoire inespérée à un intellectuel humilié et amer, qui ne «*faisait plus parler de lui que de façon négative*». Une décennie après ses exploits au Kosovo, à nouveau sa chemise blanche largement ouverte s'offrait au crépitement des flashs au côté d'un président de la République, peu importe lequel, «*vainqueur rayonnant d'un duo d'égomaniaques, avec Kadhafi dans le rôle du méchant et la conscience tranquille d'avoir fait ce qu'il fallait*», précisait le quotidien.

En France, il ne se trouva pas un seul journal pour oser relever cet enchaînement temporel pour le moins frappant. Aujourd'hui que sont connues les conséquences tragiques de cette guerre sur l'équilibre de la région, ainsi que les montages propagandistes cyniques qui présidèrent à sa décision, il ne s'en trouve pas davantage. À notre connaissance, le seul à avoir fait publiquement état de la responsabilité de l'humaniste Bernard-Henri Lévy dans ce cataclysme dont les pétroliers et les salafistes furent les seuls à profiter fut Michel Onfray, le philosophe populaire qui l'avait supplanté aux devantures des libraires. De nombreux médias se chargèrent bien entendu de le faire chèrement payer à ce dernier. Ainsi l'on pouvait lancer un pays dans ce que la presse allemande n'hésitait pas à présenter comme une guerre de diversion narcissique, armer des milices extrémistes menaçantes jusque sur notre sol, et continuer paisiblement à tenir les rênes, pleines de sang, des baudets médiatiques parisiens.

L'homme de la rue, lui, n'était plus la dupe de Bernard-Henri Lévy cependant. Les ventes de ses livres ne se redresseraient jamais vraiment de l'*annus horribilis* que fut pour lui 2010. Tout ce qu'il pourrait faire désormais, c'était entretenir quelques parasites pour l'admirer de façon intéressée, ou nuire encore dans la coulisse. Les médias officiels ne le lâcheraient jamais tout à fait cependant, c'était là l'étrangeté du temps. Plutôt que de pousser de nouveaux noms, ils préféraient mourir avec leurs intellectuels croupions.

Après l'affaire, il ne fallut toutefois pas moins qu'une intervention des élus de « l'Obsolète » pour mettre le holà aux menées de la direction qui, déjà, caressait de mauvaises pensées à l'égard de mon inconfortable personne. Le 18 février 2010, le bureau de la Société des rédacteurs envoya ainsi un mail à l'ensemble du journal, ainsi qu'à l'Agence France-Presse. Quelques lignes à peine, qui dissuadèrent les maîtres du journal de tirer pour cette fois les couteaux. « *Devant la servilité dont une grande partie de la presse française a fait preuve vis-à-vis de Bernard-Henri Lévy pris en flagrant délit d'amateurisme philosophique, la Société des rédacteurs de « l'Obsolète » se félicite de la tenue morale et professionnelle du journal. À l'origine d'une révélation reprise par la presse internationale, « l'Obsolète » a démontré son indépendance.* »

Passée à quelques mètres du ravin, ma situation n'allait toutefois cesser de se détériorer dans les mois qui suivirent. Au « *journal de Jean Joël* », je n'avais plus le droit de toucher au moindre dossier sensible, ni aux sujets de couverture, et l'on cherchait désormais à confier à des collaborateurs extérieurs les portraits et les enquêtes intellectuelles dont j'avais toujours eu la charge jusqu'ici. Éprouvée par ces vicieuses manœuvres de bureau, je m'étiolais sans trouver d'issue. Empêchée d'écrire, je disparaissais chaque semaine plus inexorablement des pages du journal, et mon travail avait fini par y perdre tout sens. Un an plus tard, je quittai donc « l'Obsolète » pour rejoindre *Marianne*, un journal qui m'avait toujours plu par son côté franc-tireur, et qui, du fond du cachot où j'étais tombée, m'était apparu comme paré de bien d'autres séductions encore. Je ne tarderais cependant pas à comprendre que, à peu de chose près, les mêmes pharisiens, soumis aux mêmes maîtres, chargés de veiller à peu de chose près sur les mêmes vérités, y régnaient aussi inflexiblement.

16

Un «Young Leader» très prometteur

Au printemps 2014, le petit monde des faiseurs d'opinion et des salles de presse ne bruissait plus que d'une excitante question. Qui allait prendre la tête des troupes de «l'Obsolète», qu'avait avalé en fin d'année pour une somme dérisoire le trio d'investisseurs emmené par l'ogre des télécoms? Remercié par les nouveaux maîtres, Laurent Môquet avait pour son malheur dirigé le quotidien *Libération* à une époque où l'un de ses journalistes enquêtait courageusement sur les anciennes frasques de l'ogre dans le monde interlope du Minitel rose, entre autres business liés au sexe. Désormais épris de respectabilité, et entré par alliance dans une dynastie huppée du CAC 40, celle de la famille Arnault, le nouveau maître du Monde libre n'appréciait guère qu'on lui remette en mémoire ses diverses condamnations judiciaires. Notamment un séjour pas si ancien en prison, dix ans à peine avant le rachat du «*journal de Jean Joël*». Le sort de Laurent Môquet avait donc, semble-t-il, été cavalièrement scellé. Comme toujours, ce dernier était néanmoins retombé sur ses pieds en retrouvant son fauteuil familier de directeur à *Libération*.

La maison «Obsolète» ne pesait plus très lourd, ni en termes d'influence ni en termes de finances, mais un espoir s'était levé néanmoins dans le Tout-Paris des médias. Encore envoûtés par le pipeau de l'ogre, les journalistes, qui regardaient toujours le trio comme de désintéressés mécènes cousus d'or, voulaient éperdument croire aux contes de nourrice. Chacun attendait donc le nouveau prince qui, sur son destrier aux armoiries du Monde libre, allait réveiller la vieille institution endormie de la place de la Bourse, pour lui rendre un peu de lustre et, qui sait, de joie.

Rapidement le choix se porta sur un jeune quadragénaire qui avait longtemps exercé son entregent dans divers services de «l'Obsolète», avant de tenter l'aventure dans un journal populaire de la Petite Couronne parisienne. Matthieu Lunedeau présentait plusieurs propriétés intéressantes aux yeux des nouveaux maîtres. Absolument lisse, il était au garde-à-vous devant l'ordre nouveau. Dépourvu de toute ambition véritable pour le journal, il adhérait de toute son âme aux mots du management, à la modernisation intransitive de toutes choses et, plus que tout, à la juste satisfaction des bailleurs de fonds. Avec quelqu'un comme lui, le risque de débordement était nul, et le directeur général du groupe, factotum du trio aux allures de forcené, avait l'assurance de tirer tous les fils.

Pour conquérir le sceptre, Lunedeau avait donc vendu au trio un projet à base de formalisation importée du marketing, avant tout destiné à masquer son incapacité à insuffler un sens quelconque à ce vieux journal d'idées. Ainsi, l'« Obsolète » de nouvelle génération serait-il organisé en quatre séquences elles-mêmes conçues à partir de quatre verbes commençant tous arbitrairement par la lettre « d »: décrypter, découvrir, débattre, divertir. Tétanisés par cette vaine innovation, les journalistes ne savaient quoi penser. Le dernier « d », celui de « *divertir* », faisait tout de même sursauter les membres du service culture, dont certains avaient encore des lettres, et ne souhaitaient nullement œuvrer à la seule satisfaction des amateurs de pop-corn. De cette façon le nouvel « Obsolète » serait « *dérubriqué* », c'était le mot d'ordre du moment. C'est-à-dire que, au lieu d'être organisé pour répondre à l'attente d'un cerveau normal depuis la nuit des temps, on jetterait tous les sujets dans un grand sac, on secouerait bien fort, et tout en ressortirait culbuté. Ainsi l'entretien d'une ministre de l'Éducation nationale côtoierait désormais, sans cause apparente, une enquête sur les puces de lit, qui elle-même succéderait sans plus de raison à un reportage chez les résistants du Kurdistan.

À quoi rimaient ces inexplicables métamorphoses qui n'allaient pas tarder à donner le mal de mer aux plus enthousiastes lecteurs de « l'Obsolète » ? Avant toutes choses à fournir une apparence de projet révolutionnaire au nouveau directeur de la rédaction. À quoi venait s'ajouter, sous les alibis avancés de la modernité, une vieille ficelle de la politique machiavélienne. Alors que chaque baron du journal avait jusqu'ici régné souverainement sur sa rubrique, il se voyait désormais obligé, par le nouveau système, soit de s'en aller, soit de mendier chaque semaine un peu d'espace pour ses sujets dans le chamboule-tout de Lunedeau. Sous ses dehors pimpants de gendre parfait, ce Matthieu Lunedeau était un intrigant roué, déjà blanchi sous le harnais.

De fait, la première action remarquable qu'il entreprit au journal aurait dû être perçue comme un funeste avertissement. À peine après être revenu à « l'Obsolète » pour le diriger, il invita en effet à déjeuner le chef du service politique qui, tout jeune, l'avait fait débuter et formé, pour lui annoncer qu'il ne souhaitait rien d'autre que le chasser. Un parricide, en quelque sorte. Le règne de Richard III Lunedeau, expert en baratin pour actionnaires, commençait décidément sous de sombres auspices.

Comment me retrouvai-je prise dans le drame qui n'allait pas tarder à se jouer place de la Bourse ? Depuis plusieurs mois, j'observais les manœuvres en cours à « l'Obsolète ». Les deux patrons historiques qui m'avaient recrutée comme directrice adjointe de *Marianne* venaient d'être ignominieusement licenciés, à la faveur d'un putsch actionnarial d'une rare brutalité. Déjà difficile par la violence verbale qui y sévissait presque quotidiennement, la vie à *Marianne* était devenue presque intolérable sans ces protecteurs, et je songeais donc à en partir aussitôt que l'occasion se présenterait.

L'occasion se présenta sous la forme d'un appel de Matthieu Lunedeau. Conseillé par quelques relations communes, il avait songé à moi pour devenir son adjointe. Quoiqu'ayant cohabité plus de dix ans entre les murs de « l'Obsolète », nous ne nous y étions jamais adressé plus de quelques mots. Alors journaliste politique, Lunedeau n'y mettait, il est vrai, que rarement les pieds, préférant la compagnie des porte-serviettes et autres attachées de presse du PS.

Longtemps il avait été l'enfant chéri du système, alors que j'en étais comme la part maudite. Rapidement, les directeurs successifs lui avaient confié des responsabilités, dans l'exercice desquelles il s'était d'ailleurs rarement fait remarquer. Sa cote n'avait néanmoins cessé de monter à « l'Obsolète », au point qu'un de ses maîtres, depuis ce temps-là parti gardienner les médias du groupe Lagardère, avait dressé de lui dans un magazine pour publicitaires un portrait extraordinairement flatteur. « *Les journalistes sont à la société moderne ce que les instituteurs étaient aux premiers temps de la République et les prêtres à l'Ancien Régime : ils disent le bien et le mal,* avait non sans pompe déclaré l'ancien directeur de « l'Obsolète ». *Il faut donc placer à leur tête des femmes ou des hommes ayant le souci religieux de la responsabilité et de la vérité. Tel est Matthieu Lunedeau.* »

À un certain moment de ses laudes à Lunedeau, il avait toutefois eu un propos dont la perspicacité s'avérerait autrement plus éclatante. Saluant l'impartialité de ce futur géant du journalisme, il avait noté : « *Bien malin celui qui pourrait repérer ses empreintes digitales dans ses articles.* » En effet, tel était du reste le point le plus étrange de toute l'affaire. Nul ne se souvenait d'un seul écrit, d'une seule prise de position de Matthieu Lunedeau, qui pourtant n'avait cessé de se voir encensé dans les étages patronaux et promis aux plus mirobolantes destinées. Sans doute avait-on assisté, sans le savoir, à la naissance dans la presse d'un nouveau type de directeurs, avant tout *managers,* et au besoin licencieurs, n'ayant en tout cas plus qu'un rapport lointain avec les propos tenus dans leurs pages.

Signe que les dieux s'étaient en tout état de cause penchés sur son berceau, le journal avait notamment inscrit Lunedeau en 2002 au programme de la fondation Young Leaders, où de jeunes «*décideurs*» français et nord-américains étaient appelés à se mélanger pour préparer l'élite de demain, plafond flottant constitué de croisements de croyances et d'intérêts avant tout destiné à s'entraider à tout rafler. Pas moins de trois anciens directeurs de «l'Obsolète» y étaient passés, pour y faire la connaissance de divers hauts fonctionnaires et de certains banquiers dont, autant que le leur, l'avenir doré semblait tracé. Une figure du service culture de «l'Obsolète», qui avait la langue bien pendue, qualifiait les gens comme Lunedeau de «*promotions suppositoires*», charmante dénomination qu'elle explicitait ainsi: «*Des gens lisses et dépourvus de toute aspérité qui ne cessent inexplicablement de monter.*»

De cet individu insaisissable, je ne gardais pour ma part que quelques souvenirs flous, notamment celui d'une sorte de «mono» idéal pour colonie de vacances, inlassable fêtard à la démesure communicative, ce qui était d'ailleurs loin de me le rendre antipathique, mais lui valait toutefois de la part de mieux informés le surnom un peu inquiétant de «*Dark Croissant de Lune*». L'autre bizarrerie, c'était que, tout en réclamant à cor et à cri que je devienne sa plus proche collaboratrice, il ne cessait de répéter à qui voulait l'entendre: «*C'est bien simple, Aude Lancelin est en toutes choses l'exact contraire de moi. Ainsi nous serons complémentaires.*» Longtemps je n'avais pas su quoi penser de cette phrase, ne sachant pour ma part s'il me serait possible d'apprécier durablement quelqu'un qui soit «*l'exact contraire de moi*».

Son calcul à mon sujet n'était néanmoins pas très difficile à comprendre. Quoique ayant étudié « *l'épigraphie latine* », aux dires de son admirateur parti chez Lagardère, Matthieu Lunedeau ne se cachait pas de ne rien entendre aux choses de la culture et des idées, dont un « Obsolète » même un peu déglingué se voulait encore l'organe de référence.

À ses yeux, je devais donc me placer là, à ses côtés, pour lui apporter des éclairages sur ces questions, sans pour autant le menacer. D'une part, j'étais une femme, ce qui excluait *a priori* les compétitions hormonales entre mâles. D'autre part, je n'étais jamais passée par les services politique ou économie, véritables pépinières à directeurs, et donc je risquais encore moins de vouloir un jour lui ravir son jouet. Enfin, j'avais la légitimité de longues années déjà passées dans les arcanes de « l'Obsolète », une connaissance profonde de sa délicate mécanique, de vrais soutiens dans la place. Bref, le plan de Lunedeau ne semblait pas tout à fait idiot.

C'est ainsi que l'éternelle hérétique de « l'Obsolète » en devint pour deux ans la princesse consorte, avec notamment les pleins pouvoirs dans le domaine des idées que ses fondateurs tenaient pourtant pour sacré. Les sépulcres blanchis ne l'acceptèrent jamais. Deux années durant, ils s'employèrent à le faire payer à lui autant qu'à moi.

17
« J'ai décidé de professionnaliser le management »

Dans le *Métier de vivre*, journal interrompu par son suicide, Cesare Pavese écrit quelque part : « *L'origine de tous les péchés est le sentiment d'infériorité – autrement dit l'ambition.* » Cette fois, Matthieu Lunedeau avait visé trop haut. Les choses lui avaient rapidement glissé des mains à « l'Obsolète », dont le cœur de métier lui échappait en réalité. Dans l'un des derniers journaux où se célébrait encore le culte des mots et des idées, il ne parvenait à produire que de fades éditoriaux, emplis de tous les stéréotypes de l'époque, dont l'écriture lui était un tel supplice que toujours il la repoussait inconsciemment, jusqu'à parfois s'y prendre une ou deux heures avant l'envoi à l'imprimerie. Chapelet d'évidences creuses ponctué par quelques notations prudhommesques, jamais l'œil n'y était arrêté par une vue singulière, une quelconque audace intellectuelle, une réminiscence inattendue.

Sur ce terrain-là également, Lunedeau était comme le stade terminal de la longue maladie qu'avait fini par devenir l'éditorialisme français. De morceau de bravoure qu'il avait été à une époque, l'exercice se résumait désormais le plus souvent, quelle que soit l'orientation du journal, à une pénible justification des réformes exigées par la mondialisation libérale, à laquelle seuls quelques anciens normaliens égarés dans la presse, comme Jacques Julliard à *Marianne*, parvenaient encore à donner quelque cachet. À quoi devait-on ces purges éditoriales qui, clouées en proue des journaux, vous tombaient littéralement des yeux ? À la dégradation de la langue propre au temps sans doute, mais aussi au rachat successif de tous les titres de médias par les avionneurs, grands financiers et autres géants des télécoms. L'éditorial étant comme la vitrine du journal, la seule chose que, dans le meilleur des cas, les actionnaires se hasardaient une fois par an à lire, les différents directeurs semblaient y saisir l'occasion de faire les beaux devant leurs maîtres, exhibant leurs petits ventres réformistes en signe de soumission.

Avec Lunedeau, toutefois, l'exercice agonisait. L'absence de forme digne de ce nom révélait cette fois crûment la misère du fond, et c'est donc toute la mécanique qui se grippait. Le plus terrible c'est que son rapport mutilé à la langue lui rendait presque impossible de féliciter les journalistes pour la maestria que tel ou tel avait pu mettre dans un papier. Il était même un relecteur sans pitié pour les autres, son pointillisme pouvant aller jusqu'à l'humiliation publique. À « l'Obsolète », où la tradition de la glose entre pairs avait fini par devenir au fil des décennies aussi codifiée que l'amour courtois à l'âge médiéval, les rites en étaient pourtant bien connus et, jusqu'alors, scrupuleusement respectés. Au lendemain de la parution du journal, le flatteur devait prendre un air extatique pour s'adresser à son confrère en disant : « *En lisant ton papier, je me suis régalé.* » À quoi le flatté se devait de répondre, aussi empourpré que son teint le lui permettait : « *Venant de toi, cela me fait particulièrement plaisir.* » Avec le nouveau directeur-manager, cette page-là de l'histoire des mœurs était refermée.

Son aversion pour les mots avait fini par devenir si profonde que Matthieu Lunedeau semblait parfois vouloir transformer « l'Obsolète » en grand livre d'images. Toujours la photographie y prenait davantage de place, jusqu'à dévorer entièrement le texte au fil des pages. « *Pas de photo, pas de sujet* », faisait partie de ces phrases qu'il aimait à s'entendre répéter lors des réunions qu'il organisait d'abondance autour de sa personne, pour se donner les apparences d'une souveraineté qui le tranquillisaient. Au nombre de ces phrases, il y avait aussi : « *La vie est un risque* », aphorisme pour philosophe de syndicat patronal, que le nouveau directeur prononçait souvent, notamment lorsqu'il s'agissait de faire signer un contrat de travail sans reprise d'années d'ancienneté à l'un des salariés. Mais le véritable viatique de Lunedeau c'était « *la modernité* ». Quand il ne savait que dire au sujet d'une mesure gouvernementale qui avait son suffrage, quand il ne parvenait pas à traduire le sentiment qui lui faisait préférer telle nuance chromatique de rose en couverture au lieu de telle autre, il disait : « *C'est plus moderne* », et l'angoisse semblait s'apaiser, l'affreuse angoisse qui l'étreignait désormais, à chaque fois qu'il avait à prendre la moindre décision relevant de son niveau de responsabilité.

Un célèbre manuel de management des années 1960, *Le Principe de Peter* , énonce que, lorsqu'un dirigeant d'entreprise, ou même un cadre subalterne, atteint son «*niveau d'incompétence*», il se met spontanément à inventer des substitutions à l'activité qu'il ne parvient pas à assumer pour ne pas avoir à affronter l'odieuse vérité. Aussi prodigieuse que la chose puisse sembler, moins d'un an après son arrivée, Matthieu Lunedeau les avaient déjà presque toutes mises en œuvre. Certaines de ces substitutions salvatrices étaient parfois rudimentaires, comme la manifestation d'un intérêt soudain pour la conception d'organigrammes, ou l'élaboration compulsive de plans tirés sur la comète qui ne seraient jamais mis en œuvre. Mais il y avait aussi, et cela hélas plus durablement, l'organisation d'innombrables réunions, toutes absolument sans fin, durant lesquelles le vrai travail ne cessait, lui, de s'empiler ailleurs dangereusement.

Plus radicaux, d'autres subterfuges mis au point par Lunedeau l'amenèrent à lâcher totalement la réalisation du journal à certaines périodes de l'année, pour se borner à jouir des apparences de sa position. Mal à l'aise face à la conduite idéologique d'un journal et à la confection de unes propres à signifier quoi que ce soit, Lunedeau avait ainsi fini par trouver, à l'extérieur de «l'Obsolète», des dérivatifs à ces tâches directoriales tétanisantes. Ainsi, au fil des mois, les voyages d'annonceurs à New York, les colloques à Moscou ou à Bruxelles, et autres croisières touristiques dans les fjords nordiques pour lecteurs à la retraite, commencèrent à prendre toujours plus de place dans l'emploi de son temps. Des jours entiers il s'absentait de

« l'Obsolète », et à ces moments-là, ma solitude à la barre du journal était totale.

Lorsque, par extraordinaire, il était assis à son bureau, seuls semblaient l'accaparer les problèmes industriels et publicitaires du journal, et gare à celui qui saisissait alors le moment pour venir lui soumettre un quelconque problème d'ordre journalistique. Il subissait les phrases types qui servaient à Lunedeau de bouclier protecteur : « *On ne critique pas, si on n'a pas la solution.* » Ou encore : « *Allez, allez, des idées* », prononcé avec le ton impatient d'un entraîneur de gymnaste en survêtement. Quand ce n'était pas simplement, l'œil mauvais : « *Sois bref, je n'ai pas toute la journée.* » La répugnance à l'égard de son métier semblait indépassable.

Ce n'est vraiment que dans les allées des séminaires organisés par Le Monde libre, où je me voyais conviée avec lui, que l'on pouvait voir Lunedeau heureux et à son affaire. Là-bas il était comme transfiguré, et d'ailleurs, c'est à peine s'il vous reconnaissait. Dans ces grand-messes officiellement vouées à « *créer du collectif* » entre les différentes rédactions du groupe, ou à l'occasion de ces tables rondes destinées à s'initier à « *l'univers des start-up* », tout le cheptel médiatique galonné de l'ogre des télécoms et de ses associés était de temps à autre rassemblé pour vingt-quatre heures. Sinueux dans son costume bleu ajusté, Lunedeau se déplaçait dans les jardins du bois de Vincennes un verre de blanc à la main, au milieu de la hiérarchie du quotidien de référence, jouant des coudes pour soutirer un déjeuner à la célèbre patronne du *Huffington Post*, et marchant au passage sur les pieds de quelque gouverneur déboussolé de *Télérama*.

Ces journées somptuaires, qu'aimait à organiser le factotum des actionnaires, semblaient avant tout destinées à enfoncer quelques portes ouvertes en perdant un maximum de temps, alors que le même exigeait toujours davantage de saignées dans les titres qu'il régissait. L'essentiel se jouait dans l'ostentation de la soumission au groupe même, demandée à chacun des «*managers*» du Monde libre, puisque l'odieux mot anglo-saxon figurait sur chacun des cartons d'invitation. Assis au premier rang, le factotum observait les stand-up amateurs que les cadres improvisaient à la tribune, et ronronnait d'aise sous les clins d'œil obséquieux et autre *private jokes* que lui adressaient les plus zélés des orateurs. Rien n'était plus pénible, dans ces circonstances, que d'observer le comportement de Lunedeau, pour moi qui devais le seconder et le servir chaque jour au journal. À tous égards, il *jouait le jeu*, frémissant d'un arrivisme rapace dont tout indiquait qu'un jour il serait capable de le mener au pire.

Son comportement à mon égard était très étrange, en vérité. En public, il était distant et presque glacial, quoique quémandant mon avis à tout propos. En aparté, il pouvait presque être sentimental. Pour une raison que je ne m'explique pas, il y avait une part de moi, ce qu'il appelait sans doute le «*contraire*» de lui, qui le tenait un minimum en respect. Ainsi je fus assez longtemps avant de m'apercevoir de sa possible dangerosité.

Un point m'avait tout de même dès le début inquiétée, c'était l'intérêt anormal qu'il manifestait pour toutes les questions relatives aux «ressources humaines», de même que sa foi profonde dans l'idéologie managériale, avec tout son cortège d'impostures. Ainsi, dès les premières semaines de ma prise de fonctions, m'avait-il informée d'un ton solennel: «*J'ai décidé de professionnaliser le management.*» Ne voyant pas exactement ce qu'une telle chose pouvait signifier dans un journal comme le nôtre dont tout le charme et, surtout, l'efficacité paradoxale, venaient justement du fait qu'il était éloigné des standards organisationnels de la banque, j'avais pris la chose pour une bizarrerie d'expression, une lubie sans suite. Lorsqu'il en vint à inscrire l'ensemble de la hiérarchie de «l'Obsolète» à de coûteuses séances de coaching, comportant certains jeux de rôle déshonorants, je dus convenir que j'avais sous-estimé la profondeur du mal.

C'est ainsi que, à ma grande honte, j'en vins moi-même, et par deux fois, à me retrouver, seule avec Matthieu Lunedeau, face à une coach d'entreprise au regard perçant, à l'occasion d'une sorte de remake de «L'Amour en danger», émission télévisée des années 90 où des couples exhibitionnistes venaient vider en public leurs vieilles querelles.

«*Aude est la seule personne à qui je fasse confiance dans ce journal. Quand elle s'occupe de quelque chose, je sais qu'il n'y aura pas à repasser derrière.*» J'avais failli en tomber à la renverse. Matthieu Lunedeau avait d'ordinaire le remerciement rare, et cette situation totalement artificielle semblait paradoxalement lui permettre de libérer certaines émotions humaines ordinaires. Inexplicablement, l'univers managérial semblait lui apporter une sécurité amniotique. Je ne fus pas peu surprise néanmoins le jour où la même coach nous demanda à tous les deux de dessiner sur une feuille blanche le journal tel que chacun de nous deux se le représentait. Épouvantée, je commençai à dessiner de grands cercles concentriques, et essayai d'improviser mentalement à la hâte une justification présentable à mes lamentables pâtés. Lorsque je relevai la tête, je vis que mon camarade, de son côté, avait tracé sur la feuille une série de barres numérotées, rigides strates qui ressemblaient singulièrement à ce que dut être la hiérarchie de l'armée prussienne dans ses plus rudes années. Pourtant habituée à voir de tout, comme le sont les psychiatres ou les gynécologues, la coach en resta elle-même interloquée. Décidément le « *management* » et ses innovations alléguées dissimulaient des pulsions et des appétits déjà historiquement bien documentés.

Inquiets de voir se rapprocher le mur dans lequel Matthieu Lunedeau emmenait désormais à vive allure le journal, certains membres de « l'Obsolète » commencèrent à répandre des bruits et à dépeindre celui-ci en roi fainéant n'aimant rien tant qu'à se tourner les pouces.

Rien n'était ni plus faux, ni plus malhonnête cependant. Tel un cycliste sur un vélo d'appartement, il dépensait au contraire une énergie impressionnante à toutes sortes de tâches inefficaces, sans parvenir à faire progresser les ventes du journal ni ses rentrées d'argent en quoi que ce soit dans l'opération. Jamais il ne comptait ses heures lorsqu'il s'agissait de *caster* une journaliste en charge des *plans restos*, d'assurer un comité de *pilotage numérique*, ou une *réunion budget* sans enjeu avec le premier chef venu du journal. Aux côtés du factotum, personnage brutal qui était comme l'épouvantail des actionnaires, il passa des soirées entières au dernier étage du journal à essayer de sauver le supplément *Life Style* de « l'Obsolète » à grand renfort de *consulting* hors de prix, et de séances de *brainstorming* d'où sortirent semble-t-il assez peu d'idées sensées. Après des mois de massage cardiaque désespéré, le luxueux mensuel, qui aurait dû être une tirelire toute pleine de publicités, dut mettre la clé sous la porte. Quelques journalistes furent licenciés.

Nommé à la tête du groupe Le Monde en 2010, ce factotum, dont les compétences étaient, semble-t-il, elles aussi depuis longtemps dépassées, exerçait une emprise à peine concevable sur Matthieu Lunedeau. Aboyant continuellement des ordres sur les deux téléphones portables du directeur de « l'Obsolète », il aurait pu le faire sauter de peur à travers un cerceau. Tout ce qu'il décidait, aussi saugrenu et improvisé que cela fût, se voyait à l'instant sacrificiellement assumé par Lunedeau, qui vivait dans l'attente d'un texto aimable de la brute. Je fus un certain temps avant de comprendre que pas une des phrases prononcées par Lunedeau dans son bureau ne sortait en réalité d'ailleurs que de la bouche même du factoctum, qui avait accompli l'exploit de le ventriloquer entièrement. C'était cela les journalistes-*managers*, ces hommes nouveaux d'une presse entièrement revenue dans le poing du capital, soixante ans après les espoirs d'indépendance de l'après-guerre. Des marionnettes terrorisées, prêtes à répercuter sur de plus faibles les violences intolérables qu'elles enduraient de la part de leur hiérarchie. Car cette terreur-là, le factotum la subissait lui aussi bien sûr, à certaines heures indicibles, l'ogre des télécoms ayant à juste titre remarqué que ses résultats à « l'Obsolète » étaient tout simplement exécrables.

Non seulement les ventes du vieil hebdomadaire n'avaient nullement été relancées depuis son rachat, mais elles étaient plus que jamais effondrées. À cela il fallait ajouter le fait que, en moins de quatre années, la rente publicitaire avait été divisée de plus de moitié. Quant aux connexions du site *obsolete.com*, qui autrefois avait été un modèle du genre envié, elles étaient désormais parties par centaines de milliers en fumée. Le factotum, qui n'aimait rien tant que s'entourer de faux durs qu'il pouvait à loisir manipuler, avait cette fois commis un bel impair en poussant ce Lunedeau vers le sommet. Ensemble, ils avaient réussi en moins de deux ans à naufrager quasi entièrement « l'Obsolète », et toute la ville le savait.

18

Allah à Dammartin-en-Goële

Le 7 janvier 2015, je pose une journée pour me rendre à un enterrement familial à Lyon. Dans le taxi qui m'emmène vers la gare, j'entends en fond sonore la revue de presse de France Inter, la grande radio du service public. Celle-ci est entièrement consacrée à l'écrivain le plus célèbre du pays qui, dans un roman d'anticipation aussi pervers que mélancolique à paraître le jour même, s'amuse à jouer avec les nerfs de l'époque, dépeignant la France comme un vieux pays chrétien moribond bientôt entièrement soumis à l'islam. Dans la fiction de Michel Houellebecq, le parti de la fille du Diable est devenu le premier parti de France, et pour faire face à cette situation contrariante, la gauche et la droite bon teint se sont improbablement entendues pour remettre les clés de l'Élysée à un président musulman.

Avec un tel canevas, l'écrivain ne pouvait ignorer qu'il se verrait aussitôt accusé de propager les hantises d'*Eurabia*, livre culte pour toute une droite fanatisée nourrissant la théorie d'un complot musulman contre l'Occident. Ou avec les visions criminelles d'un Anders Breivik, jeune suprématiste blanc qui assura être passé au crime de masse en Norvège afin d'éviter une «*pakistanisation de l'Europe*», issue de la «*maladie française*». Telle n'était toutefois pas ma perception de ce roman, *Soumission*, mêlant des intuitions puissantes sur l'époque à des provocations destinées à aggraver la situation d'un monde dont l'auteur cherchait constamment à se venger, à la manière d'un Schopenhauer qui aurait eu le malheur de naître à l'ère des supermarchés. Depuis la parution des *Particules élémentaires*, en 1998, Houellebecq se plaçait pour moi très haut dans la hiérarchie des grands nihilistes actifs de l'histoire. Il était tout simplement le maître du jeu romanesque dans la France de l'époque, et le boniment moraliste n'y pouvait rien.

Quelques jours auparavant, j'étais ainsi allée rendre visite à l'écrivain, dont j'avais fait la connaissance cinq ans plus tôt, le soir où il avait obtenu le prix Goncourt, pour l'entendre au sujet de ce nouveau livre à teneur hautement polémique. Tous les sites fascisants du pays, ainsi qu'Alain Finkielkraut, les escortant désormais à courte distance tel un bateleur, n'avaient pas même attendu sa parution pour s'en approprier le contenu et déboucher le champagne.

Un soir, au retour de vacances de Noël, j'avais donc sonné à la porte de l'auteur, sac de voyage au pied, dans sa tour du 13e arrondissement. Non sans m'avoir auparavant fait écouter diverses chansons de Michel Delpech sur la playlist de son ordinateur, Houellebecq s'était reconcentré pour trois quarts d'heure d'un entretien extrêmement dense, parcouru de terribles lueurs. « *Un courant d'idées qui a connu son apogée au siècle des Lumières et produit la Révolution est en train de mourir*», avait-il déclaré ce soir-là. « *Tout cela n'aura été qu'une parenthèse dans l'histoire humaine. Aujourd'hui l'athéisme est mort, la laïcité est morte, la République est morte.* » Avant de passer à table dans le deux pièces de l'écrivain, je lui rappelai ce que je l'avais entendu raconter un soir de 2012, alors qu'il était venu fêter l'anniversaire de la revue *Art Press*. Très impressionné par un récent séjour en Belgique, où il avait pu observer l'omniprésence de l'islamisme radical, il avait prophétisé devant différents amis mi-sceptiques mi-amusés que c'était là, à Bruxelles, que la prochaine tragédie de l'Europe était en train de fermenter en silence.

«L'Obsolète» décida assez naturellement de porter à la une l'entretien que je venais de réaliser avec Houellebecq. Avec le directeur de la rédaction, nous avions du reste eu un désaccord sur le titre. Tandis que, pour illustrer le profil de l'écrivain en couverture, je souhaitais utiliser un tronçon de sa citation la plus frappante, «*La République est morte*», Matthieu Lunedeau opta pour une phrase plus consensuelle: «*J'ai survécu à toutes les attaques.*» Mauvaise pioche. Quand la couverture serait affichée sur tous les dos de kiosques à Paris le lendemain, certains imagineraient que l'écrivain avait survécu la veille aux kalachnikovs des frères Kouachi dans les locaux du journal *Charlie Hebdo*, et que, de façon assez déplacée, il s'en vantait sur tous les murs de la ville. Les autres s'amusèrent de ce nouveau revers pour «l'Obsolète».

Une fois encore, Michel Houellebecq avait en effet eu une sorte de rendez-vous chamanique avec l'Histoire.

Déjà en 2001, la parution d'un autre de ses romans, *Plateforme*, qui mettait en scène un attentat islamiste en guise de feu d'artifice final, avait coïncidé avec l'attentat du 11-Septembre. Aujourd'hui encore, Houellebecq, que les ratonneurs cocardiers autant que les bien-pensants révulsés comprenaient tous de travers, tombait le jour même d'un drame sans précédent, en résonance apparente avec l'événement.

Dès que je m'étais installée dans le TGV, ce 7 janvier 2015, mon portable n'avait plus cessé de vibrer en effet. « *Ça mitraille à Charlie Hebdo* », m'écrivit tout d'abord une journaliste affolée depuis « l'Obsolète », tandis que bientôt toutes sortes de textos irréels s'afficheraient à l'écran. « *Des morts à Charlie Hebdo* », et plus tard « *Charb décédé, c'est confirmé* ». Puis, arrivée à la gare de la Part-Dieu à Lyon, un effroyable résumé de la situation : « *La rédaction de Charlie Hebdo décimée* ». Comme beaucoup, j'eus à l'instant la certitude que l'odieux carnage commis dans les locaux de cette feuille satirique allait peser pour le pire sur le destin français.

Les rapports entre les autorités et ce journal aux postures libertaires étaient depuis longtemps marquées par une malsaine proximité. L'un de ses anciens patrons, Philippe Val, s'était même entièrement donné au plus droitier des présidents de la Ve République, Nicolas Sarkozy. Certains esprits libres y avaient courageusement œuvré, d'autres s'y livraient depuis des années à de troubles opérations intellectuelles sous couvert de défense intraitable de la laïcité. Sanctifiés par l'horreur d'un même sang versé, chacun était désormais tenu de révérer leurs combats disparates avec une égale piété.

Bientôt le drapeau tricolore et le son du clairon envahirent tout l'espace français. Un gouvernement socialiste aux abois, maître d'œuvre de politiques libérales inefficaces et contre lesquelles il avait explicitement été porté au pouvoir, verrait dans le martyre de *Charlie Hebdo*, aussitôt suivi par une tuerie antisémite à la porte de Vincennes, l'occasion de se revêtir d'une nouvelle probité. On dit volontiers que les démocraties n'aiment pas la guerre. C'est tout à fait faux, bien sûr, preuve par le caractère notoirement belliqueux des démocrates états-uniens et des socialistes français dès lors que ceux-ci accèdent au pouvoir. Les dirigeants des démocraties contemporaines sont au contraire en permanence tentés de faire la guerre, et cela parce que, davantage soumis aux caprices de l'opinion que les autres régimes, seule la guerre peut les mettre à l'abri de la critique, faire en sorte qu'ils soient identifiés au Bien, et ce de manière indiscutable. À cette tentation-là, le président François Hollande avait du reste montré qu'il était singulièrement exposé. Au début de l'année 2013, on avait déjà éprouvé une terrible gêne en l'entendant, incapable de dissimuler sa liesse intérieure, déclarer à l'occasion d'une intervention militaire au Mali qu'il venait de vivre la journée la plus importante de sa vie.

Les bruits de bottes et les bons sentiments allaient plus que jamais servir de seul exutoire aux esprits, à gauche comme à droite. Aucune parole puissante, aucune phrase de réveil, aucun pacte nouveau ne sortirait de la bouche des dirigeants, qui se contentèrent d'exécuter en somnambules une œuvre compassionnelle, ainsi qu'une série de trépignements guerriers. Seules la passion et les idées peuvent faire d'un discours une bourrasque, or la génération d'apparatchiks à laquelle appartenait cet ancien premier secrétaire du Parti socialiste n'avait plus de rapport qu'à la langue morte de la gestion et du management anglo-saxon, dont le souffle froid n'avait jamais soulevé personne. L'histoire du vieux pays qu'il conduisait, ce président-là semblait au demeurant ne la connaître que par les digests pour bacheliers qu'il lisait sur les plages durant l'été.

La manifestation du 11 janvier, qui rassembla un million et demi de personnes dans la capitale, passa quasiment dans les médias pour une nouvelle Libération de Paris et l'ensemble des éditorialistes se gargarisèrent sans frein de ce simulacre d'unité retrouvée. Par bien des aspects pourtant, elle ressemblait à ces « marches blanches » qui virent le jour dans les années 90, rassemblements sans mot d'ordre ni revendication quelconque, simplement destinés à pleurer ensemble sur l'injustice de quelque mort violente. Un gouvernement sans crédit, escorté par certaines des figures les moins reluisantes de l'oligarchie internationale, ne pouvait sérieusement espérer avoir rendu à lui-même tout un peuple.

Plus que jamais pourtant, le moment eût été venu de tout repenser à nouveaux frais. Ce qui se passait dans le pays était en vérité inouï. Que deux frères d'origine algérienne, après avoir exterminé quelques paisibles dessinateurs, veuillent mourir en moudjahidin à Dammartin-en-Göele, ex-propriété du duc de Condé, était déjà en soi un fait sur lequel il convenait de s'arrêter.

Plus tard, on perquisitionnerait des planques de soldats d'Allah jusqu'à Blois, et dans quantité d'autres vieux bourgs endormis. Partout, dans les plus vieux berceaux de la France de Ronsard et Péguy, semblaient avoir poussé de vénéneux champignons orientaux. Or, personne ne parvenait à se saisir correctement de cette information, hormis les pousse-au-crime de la réaction qui en mouillaient leur linge de joie ou de peur, selon leur âge et leur tempérament. Le règne de la droite identitaire sur les imaginaires s'annonçait demain sans partage. Le parti du Diable passait désormais pour oraculaire, ses futures campagnes promettaient d'être irrésistibles. La gauche officielle ne tentait même pas de raisonner. Comprendre à ses yeux, c'était déjà pactiser. Cette gauche «*gérait*» ce terrorisme à la manière d'une catastrophe naturelle ou d'une grève de chemin de fer, plus profitable cependant, et dont on pouvait même espérer quelques bons rendements en termes politiques.

La gauche intellectuelle peinait également à se saisir du dossier «État islamique», secte surgie d'un violent rejet des mouvements de modernisation musulmans à travers le monde. Chacun sentait bien que la figure du jeune de banlieue discriminé relevait d'un catéchisme sociologique terriblement usé. «*Divorcer de la vie d'ici-bas*» selon l'expression consacrée, revêtir une ceinture d'explosifs pour enlever des dizaines de vies, et au passage sacrifier la sienne, tout cela ne pouvait naître seulement de la fréquentation de cages d'escaliers dégradées. Ce qui manquait à tous c'était l'intelligence du mal, la capacité à reconnaître à l'adversaire une véritable logique, quoique entièrement distincte de la nôtre.

Il y avait si longtemps que la gauche intellectuelle avait forclos toute prise en compte du religieux, envisagé comme un simple marqueur d'arriération pour peuples à tirer de leur nuit mentale. Il y avait si longtemps que les sociologues autorisés regardaient d'un œil soupçonneux toute prise au sérieux des facteurs culturels, et discréditaient ainsi ce qui faisait la chair même de la vie. Si rares étaient aussi les penseurs de la gauche qui s'étaient jusqu'ici aventurés à mener une critique culturelle de la modernité capitaliste, se bornant pour la plupart à en dénoncer les conséquences économiques aliénantes sans tenter de décrire dans quel abîme et quelle absence entière d'idéal elle avait laissé les esprits. Ainsi le djihadisme avait-il poussé entièrement dans leur dos, et ils ne savaient quoi en dire.

Les mensonges à soi-même de la France, ses incantations creuses au sujet de soi-disant valeurs que, sorti de la sacro-sainte « laïcité » et des sympathiques « apéros », nul n'était plus capable de définir, tout cela était depuis longtemps irrespirable pourtant, et pas seulement pour une fraction schizophrène de la jeunesse musulmane. Il était tout de même frappant d'observer la proportion exorbitante de « convertis » bretons ou ardéchois parmi les prétendus musulmans qui rêvaient désormais en France de rejoindre les rangs de la secte islamiste de Syrie. Il était même effarant d'apprendre que le royaume de Belgique fournissait en proportion cent fois plus de djihadistes à cette organisation que l'Egypte, si du moins on rapportait ce nombre à celui des musulmans présents sur son territoire.

La fin de non-recevoir absolue adressée au monde par le djihadisme avait décidément peu de chose à voir avec le terrorisme révolutionnaire des années rouges, auquel certains voulaient à toute force le comparer. Un penseur disparu en 2007 avait du reste établi la chose avec une netteté visionnaire. Ainsi Jean Baudrillard considérait-il que les nouvelles formes de terrorisme ne visaient pas à « *transformer le monde* » par la violence comme l'avaient voulu anarchistes, léninistes ou brigadistes, mais à « *le radicaliser par le sacrifice* », ce qui relevait d'une logique tout autre.

Son grand livre, *L'Échange symbolique et la mort*, paru il y a tout juste quarante ans, restait sans doute ce qu'on avait écrit de plus intelligent sur le phénomène dont la France deviendrait, à partir de 2015, l'épouvantable théâtre. Ainsi Baudrillard soutenait-il qu'un système tel que le capitalisme avancé ne pouvait plus être renversé par les anciens modes d'action ou de subversion de ceux qui avaient jusqu'ici prôné la révolution. La grève est morte, elle appartient aux temps anciens, écrivait-il, « *car le capital est désormais en mesure de laisser pourrir toutes les grèves* ». Quiconque envisage de mettre en danger sérieusement le système, affirmait-il, doit comprendre que c'est de violence symbolique que vit celui-ci, et lui répondre sur ce même plan. Une seule chose pouvait donc désormais réellement menacer un pouvoir aussi réticulaire et performant. « *Défier le système par un don auquel il ne puisse pas répondre, sinon par sa propre mort et par son effondrement* », pronostiquait Baudrillard. Le placer dans une situation où il serait dans l'impossibilité de répondre autrement qu'en mettant sa propre survie en jeu.

Cette stratégie-là, c'est exactement celle qu'avaient mise en œuvre les djihadistes du 11-Septembre, et celle qu'avaient désormais en tête les donneurs d'ordre de

« l'État islamique » qui allumaient leurs bombes humaines partout sur le sol de France. Que le système se suicide, qu'il se scorpionise, tel était le but. Qu'il s'enlise dans des guerres lointaines et ingagnables, qu'il démultiplie le problème à l'échelle de territoires entiers, qu'il épuise sa puissance ainsi, qu'il ruine ce qui lui restait de crédit moral, qu'il devienne lui aussi ouvertement criminel, alimentant la spirale infinie des rancœurs futures.

Raison pour laquelle la pire réponse possible au terrorisme avait toujours été la riposte militaire, à tous égards vouée à un échec certain, ce que la France n'avait plus l'excuse d'ignorer depuis le précédent irakien, quand les États-Unis étaient venus s'empaler au pays de Saddam Hussein de toute la hauteur de leur puissance. L'armée entière, mais aussi la police, et toute la violence d'État mobilisée, s'avéraient à coup sûr impuissantes face à un ou plusieurs individus, aussi insignifiants soient-ils, à partir du moment où ceux-ci étaient décidés à mettre leur vie en jeu, sans la moindre réserve. Une prise d'otages sans négociation possible, voici ce qui pouvait symboliquement arriver de plus grave à un système entièrement fondé sur le calcul et l'intérêt. Et c'est exactement ce qui arriverait à la fin de cette même année 2015, dans une salle de concert fréquentée par les trentenaires parisiens, Le Bataclan, nouvelle étape d'un chemin de croix dont on n'apercevait plus le terme. Car il était écrit désormais que l'anéantissement de *Charlie Hebdo* n'avait été qu'un prélude, et que les jours de la France ne s'écouleraient plus jamais aussi paisiblement, du moins avant de nombreuses années.

19

Fini de rire

Totalement dépassé par un défi à la fois aussi primitif et aussi sophistiqué, le gouvernement français se lança dans la surenchère guerrière qu'il y avait tout lieu de redouter. Après les événements de *Charlie Hebdo*, on suspendit nombre de libertés, on perquisitionna à tout-va, des enfants de huit ans furent entendus dans des commissariats, des présentatrices de la télévision publique appelèrent au « *traitement* » des mal-pensants. Après les tueries de novembre, ce fut pire encore. Dans les médias, on arrêta net de penser. La tartufferie humaniste suppléa tout ce qui ressemblait à une telle chose dans la classe urbaine contente d'elle-même au dernier degré qui formait le gros des bataillons d'écoles pour journalistes.

L'orgie émotionnelle devint permanente. Les victimes touchées ressemblaient cette fois, il est vrai, comme deux gouttes d'eau à ceux qui devaient écrire à leur sujet. Le Monde libre n'hésita d'ailleurs pas à dépêcher un psychologue dans chacune de ses rédactions, auprès duquel les journalistes pouvaient venir s'épancher à la demande. On admirait sa propre bonté dans les larmes des autres, dans les nounours déposés à terre sur les places, dans le reflet des bougies allumées. On se congratulait d'appartenir à la « civilisation des cafés », et non à celle de ces barbares irrécupérablement tarés. Les plus atteints en vinrent à se glorifier du fait qu'ils ne renonceraient jamais à écouter du metal rock ni à boire des bocks de bière. « *Jamais ils ne nous empêcheront de vivre comme nous en avons décidé.* » Était-ce seulement là leur vrai projet ?

En miroir toujours plus parfait des agissements du pouvoir, le directeur de la rédaction reprit un peu de cœur à l'ouvrage dans ce nouveau rôle de grand aumônier des armées de « l'Obsolète ». À cette tâche Matthieu Lunedeau semblait mieux adapté, lui qui il avait le cœur sec, mais l'œil volontiers humide. À plusieurs reprises, sa voix s'était publiquement étranglée en évoquant ces « *barbares* » venus perturber nos *happy hours* dans le Marais. On aurait aimé pouvoir lui rappeler que « *le barbare c'est d'abord l'homme qui croit à la barbarie* », ainsi que le pensait Claude Lévi-Strauss.

Ces périodes de mobilisation générale permettaient à Lunedeau de se recentrer, ainsi qu'il me le confia un jour sans excès de pudeur. « *J'ai adoré la période des attentats* », me déclara-t-il peu avant les vacances de Noël, légèrement relâché sur son siège de bureau. Devant le flottement qui s'ensuivit, il se reprit et ajouta avec gravité : « *Ce que je veux dire, c'est que dans ces moments-là, nous sommes vraiment au centre de notre métier.* »

Je voyais les choses tout autrement, non seulement ces périodes de sprint informatif étaient physiquement éprouvantes pour les troupes, mais elles étaient surtout rarement fertiles pour un journal de réflexion au long cours comme devait ne pas oublier de l'être «l'Obsolète», s'il entendait survivre aux flots de dépêches que charriait continûment Internet. Je voyais en revanche très bien ce qu'il voulait dire. Un présentateur vedette de la télévision avait du reste exprimé le même sentiment mercenaire en 2001, le jour où les avions détournés par des commandos d'Al-Qaïda vinrent percuter les tours de New York. Les journalistes vivaient du sang des autres, chaque jour ils étaient aimablement perfusés au malheur collectif, mais à la différence des innocentes sangsues, il était prudent pour eux de le faire oublier. Il était plus important encore de dissimuler le fait que, répercutant continûment les exploits sanglants de quelques misérables n'ayant que cette réclame pour vecteur, ils avaient à maints égards partie liée avec la terreur.

Les attentats islamistes n'étaient toutefois pas les seuls événements à redonner à Matthieu Lunedeau quelque goût à la vie du journal. Les catastrophes aériennes produisaient chez lui un effet similaire, quoique de moindre durée. Toute la journée, le tapage incessant des chaînes d'information BFM et i-Télé résonnait alors dans son bureau, dont il allait et venait avec précipitation comme s'il avait à organiser les secours ou à diriger un débarquement. Séparée de lui par une mince cloison de verre, je me voyais dans ce cas contrainte d'abandonner les lieux, ou de porter un casque de chantier. En matière de monstruosités dynamisantes pour l'humeur, le grand méchant Al-Baghdadi et son kitch lugubre restaient tout de même imbattables. Un informateur du ministère de l'Intérieur, qui siégeait curieusement au conseil de surveillance de «l'Obsolète», avait à cœur d'abreuver le journal en mini-scoops sur les attentats, informations dont la fraîcheur dépassait rarement quelques heures. À chaque texto reçu de lui, Matthieu Lunedeau se levait d'un bond, comme s'il était animé d'une mission sacrée, pour se précipiter au service des enquêtes où, l'air triomphal, il livrait le numéro de la plaque d'immatriculation de l'un des suspects, quand ce n'étaient les plats, nullement halal, que celui-ci avait l'habitude de consommer.

C'était devenu cela, notre métier, dans «*le journal de Jean Joël*», et l'honnêteté oblige à dire que peu de gens dans la rédaction trouvaient à redire à cet incroyable affaissement. Par une pernicieuse inversion, c'était même la tentative d'introduire de la complexité dans ces affaires de terrorisme, le début d'un trouble, le questionnement propre à la pensée, qui se voyaient traqués. Au poste où j'étais placée, j'étais plus exposée que d'autres à ces tentations inqualifiables. Avec quelques journalistes d'idées, dont j'avais particulièrement la responsabilité, nous interrogeâmes ainsi, durant toute une année, ce que le pays comptait encore d'intellectuels qui ne se résignaient pas à la triste guerre du «*nous*» contre «*eux*», de penseurs qui avaient compris que la confrontation monomaniaque avec les musulmans du pays était l'assurance d'un cataclysme pour la France. L'un de ces entretiens propres à choquer les braves gens ouvrit la séquence entière de mes sinistres ennuis, et fournit la première lueur d'espoir à ceux qui, depuis mon retour, attendaient patiemment l'heure de la revanche.

Amie depuis des années d'Emmanuel Todd, souverainiste de gauche et polémiste redoutable, celui-ci m'avait fait la faveur de réserver à «l'Obsolète» l'unique entretien par lequel il était d'usage qu'un auteur à succès lance un livre dans la presse. Quatre mois après la tuerie du début de l'année, son pamphlet intitulé *Qui est Charlie?* était un authentique sacrilège. Beaucoup ne voulurent y voir, de la part d'un spécialiste reconnu du destin des immigrés, qu'une façon de dédouaner l'islam, présenté comme la «*religion des plus faibles*», et de se payer la tête des prétendus benêts qui avaient massivement défilé le 11 janvier. Il s'agissait en réalité de bien mieux que cela. Le véritable enjeu était de démasquer définitivement la gauche socialiste. Avec une efficacité redoutable, Todd, qui avait pourtant appelé sans ambiguïté à voter pour François Hollande en 2012, se retournait désormais sans réserve contre la gauche que celui-ci incarnait, démontrant que cette dernière s'adonnait sans frein à des passions autoritaires et inégalitaires, et en était aussi arrivée à devenir infréquentable sur les questions d'identité qui avaient jusqu'ici constitué son ultime cache-sexe.

Porté en couverture et titré «*Le 11 janvier a été une imposture*», ce numéro resterait comme un des derniers pics de ventes historiques de «l'Obsolète», qui bientôt s'habituerait à évoluer dans les profondeurs. Encore illusionnée au sujet de Matthieu Lunedeau, je saluais la hardiesse avec laquelle il avait accepté de monter ce brûlot en une, alors que le pays entier communiait depuis des mois dans une sentimentalité frelatée, et prétendait avoir retrouvé sa sainte unité, qui laissait toutefois soigneusement de côté les ouvriers, la plupart des immigrés, et bien sûr la totalité des jeunes des quartiers. Je me trompais. Matthieu Lunedeau était simplement léger. L'enjeu lui avait en grande partie échappé.

L'ampleur du blasphème, qui faisait tout le panache d'une couverture vouée à susciter plusieurs semaines durant des débats dans le pays entier, fit revenir dans le jeu certains des grands prêtres de « l'Obsolète », faux dévots qui surveillaient chaque déplacement de nos pièces depuis leur exil.

Cette couche autrefois dirigeante de « l'Obsolète » n'avait nulle envie de voir dévoilée sa dérive extrémiste de longue période telle que Todd la mettait sous les yeux des lecteurs. Son livre agissait comme si l'on avait brutalement ouvert tout grand aux enfants les portes de la chambre à coucher des parents. À l'intérieur de ce journal «*d'inspiration sociale-démocrate*», adversaire réflexe du *repli national*, et protecteur autoproclamé des immigrés à travers les âges, nombreuses étaient en effet les voix s'élevant désormais pour réclamer des mesures de répression qui n'auraient pas déparé hier dans les officines les plus réactionnaires. Comme ailleurs, dans le navire amiral de la presse de gauche, toute l'imposture tournait autour de la question de la «laïcité». Alors que celle-ci avait autrefois été brandie pour limiter les intrusions d'une Église millénaire, désormais elle servait surtout de tactique aux forces les moins républicaines pour avancer d'inavouables pions xénophobes.

De la même façon, le mot de «République» avait été comme vicieusement retourné par rapport à son sens initial. Ce n'était plus son potentiel rassembleur qui était célébré, c'était tout au contraire son pouvoir d'exclusion qui était exploité. Se réclamant encore sans vergogne de la liberté, de l'égalité et de la fraternité, devise qui avait autrefois fait la réputation internationale de la France, toute une bourgeoisie intellectuelle au bord de l'effondrement moral, socialement surreprésentée à « l'Obsolète », voyait aujourd'hui se propager partout dans le pays les immigrés d'hier, avec une anxiété pareille à celle ressentie chez les partisans de la fille du Diable.

C'est la raison pour laquelle les questions communautaires avaient fini par devenir explosives au sein de la rédaction de « l'Obsolète », où les réunions étaient pourtant depuis toujours notoirement molles, fonctionnelles, et apolitiques. Étrangement, c'était le service économie du journal, connu pour sa ligne ouvertement néolibérale, qui montait le plus férocement la garde sur ces questions identitaires. Des initiatives y surgissaient spontanément pour exiger de la direction de « l'Obsolète » qu'elle lance des pétitions de musulmans désavouant les criminels islamisés qui se faisaient exploser au Stade de France ou mitraillaient leurs concitoyens. Ce point-là était la grande obsession des nouveaux agités de l'identité issus de la gauche. Que les musulmans « *condamnent* ». Qu'ils s'organisent pour que voie le jour un islam féministe, pacifiste et, pourquoi pas, *gay friendly*. Un islam aux couleurs de l'arc-en-ciel, c'était l'idée. « *On ne les entend pas.* » Toujours revenait cette phrase prononcée d'un ton ambigu à « l'Obsolète ».

Face à cela, je me retrouvais souvent tout à fait seule à souligner le fait que, contrairement à la cause palestinienne, la secte des décapiteurs de Daech ne rencontrait aucune sympathie spontanée chez les musulmans de France, et que cette demande de désaveu avait donc en vérité un caractère entièrement obscène. Très isolée à rappeler aussi le fait que les jeunes musulmans composaient une proportion très conséquente des rangs de l'armée française, incomparablement supérieure à la poignée de possédés qui semaient la mort dans le pays.

Lors d'une de ces réunions, l'idée folle de confier pendant une semaine le journal à «*un rédacteur en chef musulman*» enflamma littéralement les esprits, certains voulant voir là un projet réconciliateur grandiose, doublé d'un possible coup commercial. Il fallut hausser le ton. En désespoir de cause, il fallut demander aux plus fanatisés ce que leur inspirerait le fait de remettre pour rire «l'Obsolète», juste une semaine, entre les mains d'un «*rédacteur en chef juif*». Le projet se perdit peu après dans les sables.

Pour toute cette frange-là du journal, minuscule mais puissante par son influence, j'étais clairement devenue une cible. Non seulement je contrariais la réalisation de leurs rêves de fraternité aux relents néocolonialistes, mais, en plus, je laissais s'exprimer dans le journal les grands noms de l'intelligentsia qui pointaient, avec lucidité, leurs malpropres manœuvres idéologiques. C'est ainsi qu'un philosophe lu avec ferveur à travers le monde, comme Jacques Rancière, ou un penseur du djihadisme, comme Olivier Roy, dont nous disputions régulièrement l'exclusivité au *New York Times*, devinrent à «l'Obsolète» de véritables bêtes noires, sans doute parce que, au détour de certaines phrases audacieuses, il leur était arrivé de révéler à toute cette gauche en perdition les vraies forces qui l'agitaient.

La provincialisation de ce journal atteignait des proportions préoccupantes. Les instruments de mesure intellectuelle étaient entièrement truqués, quand ils n'étaient pas simplement détraqués. La femme de l'ex-garde des Sceaux socialiste totémique, intellectuelle « de gauche » qui était allée jusqu'à déclarer publiquement en 2011 que la fille du Diable était la seule à défendre la laïcité, avait plus de prestige à « l'Obsolète » que n'importe lequel des plus importants penseurs contemporains. La même petite ligue néoréactionnaire du journal réclamait à cor et à cri de lire les fortes pensées de cette riche héritière autrefois progressiste, que les affaires de foulard islamique obnubilaient désormais. Et si l'on ne trouvait pas d'entretiens-fleuves de ladite dame dans le journal, on soupçonnait ma censure inflexible d'en être la cause, alors même que personne ne m'avait jamais proposé d'aller la rencontrer.

C'est néanmoins en dehors des murs du journal que commencèrent à s'organiser les manœuvres les plus préoccupantes à mon égard, et ce dès le printemps 2015. Après l'interview d'Emmanuel Todd sur la manifestation du 11 janvier, une véritable cabale se monta même dans la coulisse parisienne. Le fameux Alain Finkielkraut, défenseur survolté du droit de harceler moralement les immigrés, ne cessait d'alimenter mon futur bûcher, excitant sans relâche le courroux du fondateur Jean Joël, quand il n'occupait pas les écrans de télévision pour dénoncer l'influence néfaste que j'exerçais à « l'Obsolète ». « *C'est un véritable tapis rouge!* », trépigna-t-il au sujet de l'entretien avec Todd, dont il omettait au passage de souligner qu'il y était nommément ridiculisé, ainsi que le polémiste ultra-droitier Eric Zemmour, présent ce jour-là sur le plateau.

«*Je veux bien que l'ancien journal des idées devienne un magazine de mode, mais pousser l'irresponsabilité jusque-là, c'est saisissant*», s'était encore époumoné l'homme, hors de lui. Une phrase d'autant plus insidieuse que, de l'avis général, jamais «l'Obsolète» n'avait autant fait la part belle à la pensée dans ses pages, et ce depuis les années 70 peut-être, ce que nos lecteurs ne manquaient pas de remarquer. Enfin le journal était en train de redevenir un outil politique et intellectuel digne de ce nom, loin des Bernard-Henri Lévy et autres énergumènes liés aux directions successives qui, depuis une vingtaine d'années, avaient trop souvent été donnés pour seule gamelle à ses abonnés. «*Ce livre et cette interview chient sur la tête des lecteurs de l'Obs, j'espère qu'ils sauront réagir et qu'ils protesteront!*», avait conclu Finkielkraut dans le registre mi-scatologique, mi-délateur, qui lui était étrangement devenu familier.

À la manœuvre, on trouvait également toute une équipe de vieux chroniqueurs revanchards, pour certains issus de «l'Obsolète», dont chacun avait quelque compte inavouable à régler avec le journal. Jamais ils n'omettaient bien sûr de recouvrir ce grief d'alibis moraux. Tels les ci-devant de 1789 conspirant à Coblence, ceux-ci avaient provisoirement trouvé le gîte et le couvert dans la gazette économique que possédait encore le fondateur de «l'Obsolète», Claude Rossignel. À *Challenges*, puisque tel était le nom de cet organe de propagande libérale, cet axe d'anciens rédacteurs en chef généreusement rémunérés ne vivait que d'une pensée: détruire «l'Obsolète», ou bien le prendre par la force. Soit qu'ils aient été invités à en partir à l'arrivée de Matthieu Lunedeau, soit qu'ils ne fussent jamais arrivés à y entrer depuis l'origine.

Semblable à nombre de fondateurs en exil, Claude Rossignel ne s'était jamais remis d'avoir vu « l'Obsolète », son enfant préféré, persister insolemment à lui survivre. Cette vente au trio d'actionnaires, qui avait eu lieu en 2014, était pourtant sa décision souveraine. C'est bien lui, et nul autre, qui avait décidé de vendre sa vieille maison pour un « *prix d'amoureux* » à son ami l'ogre des télécoms. Qui songerait à négocier âprement le fruit de ses entrailles ? Cette mélancolie paternelle-là, lesdits éditorialistes de *Challenges* avaient merveilleusement appris à en jouer, arrachant au passage de très confortables pensions pour avoir su flatter convenablement l'amertume de Claude Rossignel. Chacun d'entre eux rivalisait d'adresse dans la mise à sac verbale de la nouvelle ère de « l'Obsolète », et cela pour le plus grand plaisir de l'octogénaire : la maison avait effroyablement changé, on n'y retrouvait plus ce qui avait fait les riches heures de l'époque Rossignel, des « *amis du journal* » en avaient été chassés, la ligne politique était devenue ouvertement bolchevique. Ah, qu'il était doux à Claude Rossignel d'entendre toutes ces vérités chantées sur tous les tons par de si fidèles et francs compagnons. Immédiatement il les répercutait auprès de l'ogre des télécoms, avec qui ses relations étaient devenues plus étroites que jamais, et cela jusqu'à dîner intimement avec leurs femmes.

Un des anciens dirigeants de *Marianne*, qui jouait ainsi sans relâche de la mandoline au vieil homme, prit même la plume pour faire part de ses dévotes inquiétudes quant au destin de notre journal. Ainsi alla-t-il jusqu'à écrire que, ayant «*appris à penser, raisonner, réfléchir*» en lisant «l'Obsolète», il ne pouvait souffrir qu'on y eût donné la parole à un enragé tel que Todd, sans que celui-ci ne s'y voie assommé d'insultes, ni les lecteurs préalablement avertis de l'inanité entière de tout ce qu'il allait y exprimer. «"L'Obsolète" *aurait pu souligner ces contradictions avec sa propre histoire. Ses lecteurs, et nous en sommes depuis plus de quarante ans, ont au moins droit à une explication*», ajoutait-il dans un élan vertueux. Ainsi, pour ce genre d'amis de la liberté, donner la parole à un intellectuel critique vis à vis du prêchi-prêcha officiel, c'était ni plus ni moins que poignarder ses abonnés.

S'il est une chose que les lecteurs de *Challenges* auraient, eux, mérité de savoir, c'était que l'auteur de ces lignes, non content de bénéficier des largesses de Claude Rossignel, était aussi l'un des vieux complices de Bernard-Henri Lévy, qui l'utilisait de temps à autre pour quelque ambassade. Indigné de voir que «l'Obsolète», où on lui avait toujours léché consciencieusement la botte, était désormais occupé par des forces hostiles, l'humaniste à chemise blanche m'avait, dès le premier été, discrètement fait demander un déjeuner. Au prétexte de la «*situation préoccupante*», bien sûr, qui exigeait semble-t-il le rassemblement de tous les démocrates du pays. Fatiguée d'avance par la fausseté de la situation, je n'y avais donné aucune suite. Désormais, il envoyait ses spadassins.

Moins d'un an après mon arrivée à la direction de «l'Obsolète», le match retour était donc déjà entamé, et un axe antitotalitaire totalement discrédité mobilisait ses réseaux pour tenter de tuer le peu de vie qui était en train de reprendre à « l'Obsolète ». Le tout bien sûr sous la bannière de la morale, de l'intérêt général et, naturellement, de la démocratie.

20
Le président qui croyait à la presse

C'est ainsi que la thèse d'un «Obsolète» en train de virer à l'extrémisme de gauche prit corps dans Paris, aussi aberrante et même simplement grotesque que la chose paraisse. Seule l'alliance de certains cerveaux dérangés et de personnages intéressés à nuire, ajoutée à la lucidité désormais affectée de leurs bienfaiteurs, avait pu accoucher d'un si invraisemblable scénario. La plus écrasante partie des publications du journal restait en effet plus que conciliante à l'égard d'un pouvoir socialiste dont la trahison historique était pourtant avérée. Il n'empêche, le golem malveillant était lâché dans le petit milieu de la presse et de la politique, et bientôt il allait faire des ravages.

Des propos extrêmement violents commencèrent à circuler à mon égard dans les cercles de la «deuxième gauche» et jusqu'à l'Élysée. À la manière de ces «frondeurs» qui venaient d'être chassés du gouvernement pour avoir simplement rappelé ce dernier à ses devoirs sociaux-démocrates, je me voyais repeinte en agent néfaste d'une dérive rouge vif de «l'Obsolète», quand je n'avais le plus souvent fait qu'encourager la distance critique à l'égard du socialisme d'appareil.

Certaines unes, ajoutées à quelques audaces intellectuelles jusqu'ici bannies au journal, avaient commencé à excéder et même à inquiéter en haut lieu. Outre le traitement jugé par trop irrévérencieux de l'affaire *Charlie Hebdo*, une couverture d'été montrant François Hollande arborant les Ray-Ban de Nicolas Sarkozy, emblème même de la vulgarité américano-libérale du précédent président, avait exaspéré la petite caste socialiste, qui entendait que l'on ne se mêlât pas de ses opérations de falsification idéologique. «*Le PS est-il de droite?*», pouvait-on lire en toutes lettres sur la couverture de «l'Obsolète», les pages intérieures du journal se montrant toutefois plus timorées dans la réponse apportée à cette embarrassante question.

Une autre couverture, dédiée à Pablo Iglesias, le jeune universitaire madrilène à queue-de-cheval qui était en train de bousculer la vieille politique espagnole, avait également fait tourner de l'œil dans les mêmes cercles. Un entretien avec Julien Coupat était aussi retenu contre moi par la police de la pensée solférinienne en patrouille. Activiste intellectuel du «groupe de Tarnac», jeté en prison en 2009 au prétexte d'avoir fomenté un «*complot terroriste*» sur une voie de chemin de fer en Seine-et-Marne, il continuait à être persécuté par le nouveau pouvoir socialiste, en dépit des protestations émises en sa faveur lorsque François Hollande caressait l'idée de se présenter à la présidence.

Le malheur voulait que les Français aient porté à la tête de l'État un homme qui croyait encore fanatiquement au pouvoir de la « revue de presse ». Un homme qui ne commençait jamais une journée sans prendre connaissance de ce que Laurent Môquet ou Jean-Pierre Elkabbach, ancienne gloire de l'audiovisuel français, avaient bien pu déclarer. Un homme qui, depuis les années 80 où il avait été chef de cabinet de Max Gallo, porte-parole du président François Mitterrand, avait noué un nombre de liens presque inimaginable avec toutes sortes de journalistes en poste, et que rien n'intéressait davantage que de commenter leurs intrigues, de quêter leur approbation, de faire et défaire leurs carrières.

Cet homme-là, en accédant à la présidence, n'avait nullement rompu avec ce dérèglement, et la familiarité que celui-ci impliquait lui nuisait. À portée de SMS, le pouvoir perdait de son aura, et beaucoup du respect qu'il aurait dû inspirer. De nombreuses personnalités du monde des médias revendiquaient ainsi son amitié, ou se vantaient d'entretenir avec lui quelque commerce secret. Le patron du *Figaro* lui-même, Serge Dassault, lui donnait de longues accolades lorsqu'il le visitait à l'Élysée. Il n'était pas jusqu'à Matthieu Lunedeau qui ne soit à s'enorgueillir, auprès de l'ogre des télécoms, d'échanger ordinairement des textos avec le président de la République.

À sa table, ornée en son centre de lys blancs, les rédactions défilaient, des mieux historiquement établies jusqu'aux tout derniers-nés des périodiques branchés, comme le magazine *Society*. Nous-mêmes, haut gradés de « l'Obsolète », avions étaient conviés à l'Élysée dès l'été de mon arrivée. De ce cérémonial républicain destiné à impressionner, je ne conservais à vrai dire que deux souvenirs distincts. Le premier, le plus puissant, c'était l'absence totale de solennité qu'inspirait le lieu dès l'instant même où François Hollande y pénétrait. Le second, le plus étrange, c'était que, plus encore qu'avant son élection, il était impossible de faire évoquer au président quelque question politique que ce soit, au vrai sens que peut recouvrir le terme. Ancien conseiller général de la Corrèze, il était et il resterait pour l'éternité.

Seules semblaient mettre en mouvement son esprit les manœuvres minuscules en cours dans les écuries des médias, quand ce n'étaient les tractations dans les circonscriptions auxquelles quelque intérêt l'attachait. À quelques traits d'humour près, une immense banalité se dégageait de toute sa conversation, que l'on aurait pu décrire comme un vaste évitement de la politique par tous les moyens.

Quelques jours à peine avant les attaques de novembre 2015, le président convia pour ce même genre de déjeuner la rédaction de *Challenges*, où il comptait ses plus inébranlables affidés. Autour de leur patron, Claude Rossignel, tous les grognards défaits que ce dernier avait aimantés s'étaient ce jour-là bousculés, de l'ancien chef du service politique de «l'Obsolète» François Bazin, jusqu'à Bruno-Roger Petit, vigie sociale-démocrate prolifique sur le web, ou encore Nicolas Domenach, ex-éditorialiste vedette de *Marianne*. Ce dernier écrivait désormais des papiers dans le journal économique de Claude Rossignel pour évoquer les «*yeux de flamme*» du président, son visage rond «*devenu lame*», et sa virile détermination d'homme d'État dans la guerre mondiale contre le califat.

Affectueusement, François Hollande les appelait «*les derniers des Mohicans*». Ils étaient véritablement le dernier carré à tenter encore de sauver quelque chose au sein de son désastreux quinquennat. Sans relâche, à la force du poignet, semaine après semaine, ils tentaient de dégager un sens progressiste à ses grands chantiers économiques. À l'homme, ils se plaisaient aussi à accorder toutes sortes de machiavélismes de sous-préfecture, qu'ils ramassaient sous le terme à leurs yeux gratifiant de «*sens politique*». Présente dans tous les esprits, la dérive préoccupante de «l'Obsolète» vers l'indépendance fut évidemment évoquée par ce quarteron de manœuvriers, qui vivaient assez mal leur relégation dans une gazette pour cadres du marketing.

En fin de mois, la nouvelle circula en tout cas que le président avait formellement convaincu Claude Rossignel de renoncer à son projet de vendre les actions qui lui restaient encore au capital de «l'Obsolète». Un tiers du total, qui lui assurait encore un pouvoir de nuisance non négligeable au sein de son conseil de surveillance. À la guerre comme à la guerre, il fallait sauver ce qui pouvait l'être encore de ce journal que l'on disait bientôt aligné sur *L'Humanité*, voire même en phase avec les saboteurs anarchistes de Tarnac. L'élection présidentielle de 2017, à laquelle il était un secret de polichinelle que François Hollande ne songeait désormais plus qu'à se présenter, lui inspirait d'âpres craintes, et il comptait plus que jamais ses soutiens.

«L'Obsolète» ne pesait plus grand-chose dans le débat public. Le journal était devenu comme le petit poumon malade du PS. Mais même diminué, il demeurait encore utile pour éviter l'ultime apoplexie d'un parti traître à toutes ses promesses, et dont l'extinction ne semblait plus impossible à envisager. Le stock d'abonnés du journal, encore colossal, faisait briller les yeux à l'Élysée, où l'on voyait là le moyen adéquat de labourer de bonnes paroles réformistes quelques centaines de milliers de cerveaux de l'éducation nationale, ainsi que d'innombrables retraités.

À l'instant, même le processus de mise en vente des ultimes actions de Claude Rossignel fut interrompu. Celle-ci avait été négociée de longue date, et n'avait plus qu'à se voir signée en cette fin d'année 2015. L'on apprit que cet étrange revirement avait fortement contrarié le factotum des actionnaires, qui comptait se débarrasser une bonne fois pour toutes de l'ancêtre pour le compte de ses maîtres. Déjà, en 2014, le même François Hollande avait non sans insistance suggéré à Claude Rossignel de ne pas vendre «l'Obsolète» au premier venu, et surveillé de très près la destinée du vieux cuirassé socialiste. «*Ce sera quelqu'un qui aura nos opinions politiques*», lui avait promis Rossignel sans toutefois entièrement le rasséréner.

Le jeune banquier de Lazard Frères, cofondateur du Monde libre avec l'ogre des télécoms, était notamment un grand tourment pour François Hollande. Ancien hussard de Dominique Strauss-Kahn, ce rival aux déboires duquel celui-ci devait pour une bonne part sa place de président, il était réputé pour professer des opinions politiques fort éloignées de la ligne austéritaire et antisociale à laquelle s'était entièrement rallié le gouvernement. Dans une interview qui avait frappé tous les esprits en ce mois de novembre 2015, l'homme avait ainsi assuré peu aimablement que la principale mesure adoptée pour relever l'emploi dans le pays était «*la plus grande absurdité économique jamais mise en œuvre*». Non content d'y citer aussi avec chaleur une phrase attribuée aux révolutionnaires de Tarnac, « *Quand le pouvoir est dans le caniveau, il suffit de le piétiner* », l'associé de l'ogre avait aussi prophétisé que ce président serait celui qui « *éteindrait la lumière et fermerait la porte en partant* ». La proximité du financier rebelle avec l'une des dernières figures un peu ardentes du PS, Arnaud Montebourg, limogé du ministère de l'Économie en 2014, avait par ailleurs éclaté la même année, à travers la publication commune d'une tribune assassine visant à dénoncer l'imposture entière du quinquennat. « *Hébétés, nous marchons vers le désastre* », telle était la première phrase d'un réquisitoire enflammé qui avait vivement inquiété l'Élysée.

Comment un tel mal-pensant avait-il pu devenir actionnaire de publications autrefois sagement rampantes comme *Le Monde* et « l'Obsolète » ? De toutes parts le temps semblait hors de ses gonds. Obsédé par l'homme, François Hollande lui prêtait de sournoises manœuvres visant à éloigner de lui « sa » presse, et à y encourager d'inquiétantes insoumissions. Si une simple particulière telle que la numéro deux de « l'Obsolète » se permettait ainsi de narguer l'ordre socialiste, c'est que nous étions tous deux de mèche, la chose était désormais assurée.

L'imagination des cercles « hollandistes » ne cessa dès lors de s'enflammer jusqu'à inventer tout un roman dont le banquier et moi étions les héros. Un putsch était en cours avec la complicité de l'actionnaire. Son projet était de renverser l'insignifiant règne de Matthieu Lunedeau et d'imposer des idées extrémistes à cet honorable hebdomadaire. Qu'importe si je n'avais rencontré le personnage qu'en une seule occasion, on me décrivait comme son amazone. Qu'importe s'il n'avait, à ma connaissance, jamais cherché à peser d'aucune manière sur la ligne du journal, la fiction de ce « coup de force » de l'ultra-gauche faisait frissonner toute la basse-cour du roi Hollande. De table en table, elle circulait du faubourg Saint-Honoré à Montparnasse, répandant ses poisons jusque dans les couloirs de « l'Obsolète », où l'on se risquait parfois à me poser d'étranges questions.

Nous le savons bien, une pure fantasmagorie peut un jour produire des effets tout à fait réels. Intoxiqué par ses propres intrigues, Claude Rossignel avait fini par croire que ma dangerosité était tout à fait établie. Partout dans la ville, il n'hésitait plus à brandir la sacro-sainte « Charte » de « l'Obsolète », pour demander à ce qu'on mette un terme à mes agissements. Je pris donc officiellement rendez-vous avec le directeur Matthieu Lunedeau, afin de me défendre contre tous ces bruits et de mettre un terme à la calomnie.

Anormalement ému, ce qui eût dû suffire à m'inquiéter, celui-ci me fit asseoir en face de lui et me déclara sans me quitter des yeux un instant : « *Aude, c'est moi qui t'ai fait revenir à "l'Obsolète". Jamais je ne te lâcherai. Tant que je serai à la tête de ce journal, il ne pourra rien t'arriver.* » Par un reste d'enfance, sans doute, la parole solennellement donnée est une chose qui m'avait toujours impressionnée. Je quittai donc le bureau de Lunedeau tout à fait tranquillisée et repris ma tâche au journal exactement là où je l'avais laissée.

21

Back in the USSR

Depuis longtemps déjà, l'âme de Matthieu Lunedeau était perdue dans la brousse du management. Tétanisé par l'ampleur d'une tâche qui lui échappait par tous les bouts, démoli par de rudes séances avec le factotum des actionnaires qui se vengeait sur lui de ses propres revers, éprouvé par les nuits courtes qui s'ensuivaient, il avait perdu le sens de ce qui pouvait ou non se faire. Un jour sans doute il se réveillerait, mais il serait trop tard, il serait passé sur le corps de tous ses camarades, et l'œil blafard de la lucidité retrouvée ne lui serait plus d'un quelconque secours. Pour l'heure, il errait seul au cœur des ténèbres, prêt à tous les mauvais coups qui lui permettraient d'apaiser le courroux des dieux actionnaires dans l'unique crainte duquel il vivait désormais.

Les chiffres du journal étaient inquiétants, et surtout, le banquier d'affaires l'avait désormais méchamment dans le nez. Le dernier conseil de surveillance de l'année s'était affreusement mal passé, et de nombreux récits picaresques circulaient à ce sujet. À peine entré dans la pièce, l'homme, connu pour des coups d'éclat qui, dans son milieu, n'avaient rien que de très banals, avait jeté en direction de Matthieu Lunedeau le numéro de «l'Obsolète», où le mot d'ordre «*Tout changer*» s'étalait en absurdes lettres roses sur la couverture de la semaine, et lui avait lancé au visage: «*C'est toi qui devrais changer!*» Dans le régime de terreur à quoi revenait le capitalisme actionnarial auquel une presse fragilisée avait entièrement dû se donner, il était fatal que le mâle Lunedeau tombât un jour sur plus «alpha» que lui.

Lorsque je récupérai ce dernier en fin d'après-midi après le conseil, il m'inspira une réelle pitié. Gris de peur, des larmes embuaient presque continûment ses yeux, et il semblait comme ralenti dans ses pensées. Le plus frappant, c'était toutefois qu'au milieu même de cet océan de détresse, quelque chose en lui renonçait à se révolter contre la loi du propriétaire qui venait de lui être rappelée. «*Les actionnaires sont dans leur rôle*», trouva-t-il la force de conclure après m'avoir livré le récit de ses effrayants déboires.

Sa foi dans le jeu managérial dépassait tout ce que j'avais pu anticiper. Longtemps j'avais cru que, dos au mur, il se battait bravement pour sa seule survie, mais c'était pire. Il le prouverait du reste un jour, en exécutant l'ordre de me broyer et en collaborant, après mon départ, à ce que soient jetés dehors nombre de nos camarades de «l'Obsolète». En réalité il adhérait de tout son être à ce système violent, et cette croyance abrasait toute son intériorité. Comme un joueur défait qui jamais ne songerait à remettre en cause la circularité de la roulette, il attendait simplement, transi d'espoir, que la chance tourne.

La une de «l'Obsolète» qui avait suscité le sarcasme du plus politisé des actionnaires avait en vérité une désolante histoire. Alors que le parti de la fille du Diable était, pour la première fois de l'histoire, arrivé en tête au premier tour des élections régionales de décembre, Matthieu Lunedeau était une fois encore parti en voyage d'annonceurs à Miami. Tombé de l'avion après plusieurs nuits de java aux côtés des communicantes de diverses marques du luxe, il était revenu sur le coup de midi avec une idée en tête, improvisée dans le taxi, pour le journal qui devait être bouclé le lendemain. Un slogan, plus exactement: « *#ToutChanger*».

Ce que pouvait recouvrir un tel énoncé dans l'esprit de Lunedeau, nul ne le savait, lui dont le conformisme «social-libéral» n'allait nullement en s'arrangeant. Toujours est-il que c'est à moi qu'était revenue la charge, en vingt-quatre heures, de faire l'impossible pour donner une apparence de réalité dans les pages de «l'Obsolète» à ce mot d'ordre révolutionnaire précédé du sigle «#», que sur les réseaux sociaux on appelait un *hashtag*, et qui, par avance, suffisait à en signer l'inanité.

La frivole opération «*#ToutChanger*» ne mena évidemment le journal à aucune proposition politique digne de ce nom. Qui comptait encore sur «l'Obsolète», où les rares déviants à la ligne solférinienne se voyaient comme moi désignés à la vindicte publique, pour impulser le grand renouveau démocratique dont on sentait monter le désir à travers tout le pays?

La peur aidant, la ligne du journal ne cessa au contraire de se racornir davantage. Jusqu'ici bienveillant à l'égard de mes incartades idéologiques qu'il semblait trouver rafraîchissantes, ou à tout le moins inoffensives, Matthieu Lunedeau se recroquevilla toujours davantage sur le caveau de la famille socialiste. Cela se traduisit dans le journal par une inflation des interviews d'économistes néolibéraux pontifiants, des portraits d'ineptes ministres de la République, des tribunes officielles prônant certaines mesures antiterroristes notoirement chapardées dans le programme du parti de la fille du Diable. «*On l'a repris en main*», me disais-je souvent, songeant à Matthieu Lunedeau en ce début d'année 2016, sans parvenir à trouver l'explication à ce mystère.

Qui en tirait désormais les fils? Ne comprenant pas comment les remontrances du plus à gauche des actionnaires avaient pu aboutir à faire repartir tout à droite le balancier politique de «l'Obsolète», je ne savais que penser. J'invoquais chez Lunedeau un réflexe de réassurance enfantine, qui pousse dans l'épreuve à se replier sur ce que l'on connaît le mieux. L'homme avait commencé sa carrière comme petit télégraphiste affecté au PS. Il revenait au pays, c'était pour moi l'explication.

Ce n'est que bien plus tard, au moment de mon exécution, qu'une autre hypothèse se présenta à moi pour rendre compte de ce prodige. L'ogre des télécoms, qui rendait désormais des visites à l'Élysée, s'était-il en personne chargé de mettre un peu de plomb dans la cervelle du directeur de la rédaction? On ne l'avait pas seulement repris en main si tel était le cas. On le tenait par un gant de fer. Dépourvu de vraie conviction et menacé comme jamais, se vivant pour ainsi dire comme dans le couloir de la mort, Matthieu Lunedeau s'accrochait en tout cas désormais à une ligne «hollando-vallsienne» endurcie, minoritaire au sein même du PS, alors que, à travers l'Europe entière, toutes les gauches à son image étaient en train de s'effondrer. Pour « l'Obsolète », c'était un choix suicidaire, celui de l'échec intellectuel et marchand garanti. Pour moi, c'était un crève-cœur, un effroyable gâchis que j'étais par ailleurs tenue de superviser.

Le moment était en effet rien de moins qu'historique. Il aurait pu être incroyablement propice au grand journal de la gauche française que ce vieux périodique endormi pouvait encore ambitionner d'être, fort de son passé et de ses nombreux journalistes. La crise de la zone euro, à laquelle vint aussitôt s'ajouter celle des migrants, faisait voler en éclats toutes les formations de gauche ramollies à travers l'Europe. Tous les dogmes étaient à repenser. Un socialisme véritable, libéré de son pacte faustien avec le néolibéralisme, aurait pu renaître sur ces cendres, avec un vrai journal pour l'inventer et le porter. Hélas, le sort en avait décidé autrement, et cela en réalité depuis plusieurs années. La pièce était déjà soigneusement écrite, ne restait plus qu'à la jouer.

Sous la férule de l'ogre aux apparences débonnaires qui l'avait annexé, « l'Obsolète » était destiné à rester une feuille de la gauche Potemkine. Un vieux porte-avions rouillé, désespérément aligné, au milieu des autres vaisseaux fantômes à quoi se résumaient désormais les médias français que d'autres géants du CAC 40 détenaient. Comment avait-on pu imaginer que les choses puissent tourner autrement ? *There is no such thing as a free lunch*, disent les Anglais. On n'aliène pas sa liberté impunément.

Au grand mensonge du Monde libre, tout le monde avait eu envie d'adhérer cependant, et moi aussi j'avais stupidement voulu croire que le système n'était pas entièrement clôturé. Comme sous le glacis soviétique, seule une apparence de discours donnait en réalité le change, dans des organes qui n'étaient indépendants qu'en surface. La médiocrité faisait elle-même partie du programme. Trop de conviction nuisait, et vous désignait comme suspect, ainsi qu'Alexandre Zinoviev l'avait montré dans *Les Hauteurs béantes*, chef-d'œuvre paru il y a tout juste quarante ans, qui avait désossé l'entièreté du système soviétique.

Ainsi étions-nous nombreux à avoir eu la naïveté de penser à «l'Obsolète» que l'imitation de travail à quoi se résumait depuis des mois l'effervescence de Matthieu Lunedeau le mettait en danger. En fait cette apparence de travail lui garantissait une véritable sécurité. D'abord, celui qui était chargé de le surveiller, le factotum des actionnaires, était lui-même intéressé à la perpétuation du mensonge. Comment aurait-il pu, sinon, justifier devant ses maîtres tant d'erreurs de stratégie avalisées, tant de nominations ratées, tant de pertes accumulées? À un niveau plus profond encore, certains des actionnaires de «l'Obsolète» eux-mêmes ne souhaitaient qu'une imitation de journal. En aucun cas ces derniers ne souhaitaient un organe qui se serait mis à penser, et n'aurait été dans ce cas que de peu d'utilité pour être bien reçu à l'Élysée.

Le véritable travail est souvent quelque chose de peu spectaculaire, notait par ailleurs Zinoviev dans son roman. L'imitation du travail, elle, est faite de bruit et d'agitation. «*Ce sont des réunions, des symposiums, des rapports d'activité, des voyages, des remplacements de direction, des commissions, etc.* », déclinait l'écrivain russe qui serait, pour ce livre-là, démis de toutes ses fonctions, exclu du Parti, et privé de tous ses diplômes. En découvrant ces lignes dans un vieil exemplaire jauni des éditions L'Âge d'homme, j'eus la certitude désagréable que l'imbécile c'était moi qui, avec les journalistes des services culture et idées, m'étais notamment acharnée pendant deux années à tenter de produire des pages appréciées par nos lecteurs. Très loin de cette étrange lubie, Matthieu Lunedeau avait en réalité tout compris au nouveau monde.

Nous étions en fait revenus à l'Union soviétique des années 70. Toutes les balances étaient faussées. La réalité fastidieuse du travail, nullement récompensée. Par une intime compréhension du système, le directeur de la rédaction en était même venu à inventer le plus redoutable moyen jamais mis au point pour zombifier un collectif entier : la *réunion perpétuelle*. Des mois durant, sous ses ordres, nous nous étions ainsi lancés dans différents cycles de refonte de la nouvelle formule de « l'Obsolète », qui jamais ne déboucheraient sur aucune prise de décision. Des centaines d'heures avaient été perdues, des commissions entières montées, des dizaines de rapports remis, entraînant la mise en place de tout une autre longue boucle de réunions, qui elles-mêmes feraient l'objet d'autres synopsis qui n'aboutiraient pas davantage. C'était une organisation implacable, à laquelle seuls ceux qui avaient abdiqué tout goût pour notre métier pouvaient au demeurant résister. Définitivement, l'essentiel n'était pas de faire un journal mais d'en fournir une sorte de spectacle, et c'était bien là la meilleure façon de servir le régime, la plus habile, celle qui se verrait désormais consacrée.

22
Intelligence avec l'ennemi

Cela faisait deux ans que j'en avais la certitude. Ce gouvernement férocement libéral, quasi extrémiste dans son acharnement à ignorer la volonté du peuple qui l'avait porté au pouvoir, allait un jour s'en prendre aux lois protégeant encore stoïquement le travail contre le capital dans le pays. Son idylle avec le patronat était devenue si poussée qu'un tel désir ne pouvait que finir par triompher, quels qu'en soient les éminents dangers. Depuis des mois, ce désir rôdait dans la hiérarchie de « l'Obsolète », où les « ultras » du service économie rêvaient même tout haut d'abolir le « CDI », le contrat à durée indéterminée, graal pour tout salarié au terme d'un long parcours d'études, de stages piètrement rémunérés, et autres précarités.

Le jour où le projet gouvernemental de « Loi travail » vint sur la table, je sentis que quelque chose allait casser moralement entre « l'Obsolète » et moi. Ce que j'ignorais encore c'est que, par une mise en abyme saisissante, c'est mon propre contrat de travail qui n'y résisterait pas.

Si être « de gauche » ne consistait pas à défendre le faible contre la myriade d'exploitations variées que le fort était en train de réinventer, qu'est-ce que cela pouvait donc bien être encore ? Sur ce point-là, il était impossible pour moi de céder. Ainsi que George Orwell l'avait énoncé à peu près en ces termes, l'homme est un être qui, avant toutes choses, a besoin de chaleur, de confort, de loisir et de sécurité. Rien qui n'aille dans ce sens-là ne pouvait sans mystification se voir qualifier de « progrès ». Habiles à faire passer pour archaïsme sentimental de légitimes demandes, les lieutenants du capital avaient cette fois décidé de pousser leur avantage aussi loin que possible, en s'appuyant sur un gouvernement prêt à tout solder. Ainsi dans les conversations surréalistes de certains hiérarques de « l'Obsolète », le noir souci de la précarité se voyait-il désormais repeint en expérimentation de nouvelles libertés, l'insécurité généralisée en bienfaisante fluidité, et la location de ses propres draps en libre entrepreneuriat.

Détail sordide de l'opération, c'est l'une des figures les moins discutées de la gauche, le garde des Sceaux qui fut jadis l'artisan de l'abolition de la peine capitale, qui avait été choisie pour badigeonner de respectabilité l'affreuse besogne. Ainsi, cet homme, qui n'avait jamais mis les pieds dans une entreprise et n'avait pas non plus le moindre éclairage théorique sur le sujet, s'était-il vu charger de vanter le bien-fondé d'un projet de loi visant à livrer le salarié dépouillé à ce monde d'une indiscutable férocité. Le sous-texte de l'opération était spécialement retors. Le choix d'une telle mascotte historique semblait indiquer que, de la même façon que les électeurs n'auraient pas voté il y a trente ans pour l'abolition de la peine de mort, ils ne voteraient pas davantage aujourd'hui pour une loi dont tout indiquait qu'elle alourdirait de beaucoup le poids de leurs chaînes de salariés. C'était bien la preuve que, dans son intérêt, il fallait parfois bousculer le peuple français, et même que, pour dire franchement les choses, le mieux était souvent de ne pas le consulter.

Aussitôt un immense chahut se leva dans le pays entier contre une loi dont il était clair que, chez les principaux intéressés, nul ne la voulait. Bientôt une pétition dépasserait le million de signataires, battant des records à travers le monde. Bientôt une jeunesse qu'on disait dépolitisée allait se révolter contre le sort qui lui était fait, via le web et ses vidéos virales circulant en tous sens. À toute une nouvelle génération, cette loi-là réussirait même le prodige de redonner le goût des vieilles marches «*de Bastille à Nation*». Il est vrai que celle-ci dépassait toutes les bornes de l'obscénité, et qu'avec elle l'électorat de gauche se découvrait une fois de plus grossièrement dupé.

Le 31 mars 2016, jour de grande manifestation contre ce que la foule qui défilait depuis le début du mois avait rebaptisé la «*Loi travaille!*», une poignée de penseurs et de militants décida que le temps du sursaut était peut-être enfin venu. Inspirée par le «*mouvement des places*» européen qui, en Espagne notamment, avait il y a peu culbuté la politique institutionnelle, l'idée était à la fois simple et pleine d'audace. Le 31 au soir, après la manifestation, il s'agirait de faire en sorte que chacun ne rentre pas se disperser chez soi, mais reste passer la nuit avec les autres sur la place de la République. Tenir la place, rester ensemble, se retrouver physiquement, tout cela qui était la forme primitive de la politique, à la fois évidente et oubliée depuis si longtemps. Cette idée-là, qui bientôt porterait le nom de « Nuit Debout », c'est Frédéric Lordon, mon compagnon, qui l'avait eue et mise sur pied avec quelques-uns de ses amis. Sans dissimuler notre relation, nous ne l'exhibions pas non plus, nous retrouvant malgré nous à la jonction de deux mondes étrangers qui se regardaient en chiens de faïence. Celui des haut gradés de « l'Obsolète » et celui de la gauche radicale, dont il était peu à peu devenu, depuis la dernière grande crise financière, une figure intellectuelle en vue.

Une séance publique du film *Merci Patron!*, projeté sur la place de la République, devait servir de point d'ancrage à la soirée. Réalisé par le fondateur de *Fakir*, feuille satirique imprégnée par ce souverainisme de gauche qui, depuis longtemps, m'était cher, ce film avait très tôt été identifié dans les milieux militants comme porteur d'une énergie collective à propager dans le pays entier. À l'écran, on y voyait un couple de prolétaires du nord de la France rouler dans la farine divers émissaires de Bernard Arnault, patron milliardaire du groupe LVMH, leader mondial du luxe qui les avait autrefois jetés au chômage. Lors des projections de cette version modernisée de *Robin des bois*, fable parfaite dans laquelle rien n'avait pourtant été inventé, le public explosait littéralement de joie. Par un étrange signe du destin, Bernard Arnault, allégorie constamment moquée à l'écran de la loi aveugle du capital écrasant les petites gens, était le père de la compagne de l'ogre des télécoms qui présidait désormais aux destinées de « l'Obsolète ». Détail piquant, même si j'étais alors sincèrement convaincue que l'ogre ignorait jusqu'à mon existence ou, au pire, me voyait comme l'une des soutières anonymes œuvrant sur l'un des confettis de son empire.

Ce fameux 31 mars, je ne pus toutefois rejoindre la place de la République que tard dans la soirée. Des tests de lectorat avaient été organisés par «l'Obsolète» ce même jour, à l'initiative du factotum des actionnaires qui avait lui aussi besoin de s'agiter pour prouver à ses maîtres qu'il ne restait pas les bras ballants devant le désastre économique qui s'annonçait au journal. De tels tests, régulièrement organisés dans la presse, consistaient à rassembler une dizaine d'acheteurs réguliers et à leur faire commenter le journal sous toutes les coutures, sans leur dire qu'ils étaient observés. Cachés derrière une glace sans tain comme dans un peep-show, la hiérarchie du journal les écouta ce soir-là plusieurs heures durant mettre en pièces «l'Obsolète» dans un silence sépulcral, à peine interrompu par quelques rires embarrassés. Pour Matthieu Lunedeau, la soirée fut une torture sans fin. Tous ses principes directeurs, toutes ses innovations, sans même parler de ses propres éditoriaux, se virent impitoyablement déchiquetés.

Ce que voulaient les lecteurs au bout du compte, c'était assez prévisiblement de l'indémodable, des débats d'idées, de l'engagement vrai, et non le clinquant ringard que, semaine après semaine, on lui vendait sous couvert de «modernité». Tout ce que nous avions été quelques-uns au sein de la hiérarchie à répéter à Matthieu Lunedeau et au factotum depuis des mois se vit, ce soir-là, validé, frappé du sceau de l'expertise, et ce qui était étrange, c'est que nous eûmes néanmoins le sentiment que les conclusions salutaires n'en seraient nullement tirées.

Le traitement de la politique y était entre autres vigoureusement dénoncé, les lecteurs rejetant par-dessus tout «*l'incantation vertueuse*» de responsables socialistes totalement discrédités que «l'Obsolète» leur livrait en guise d'analyse. Une couverture fit l'objet de moqueries toutes particulières, celle où l'on apercevait en plan serré les visages du Premier ministre, Manuel Valls, et du président de la République, François Hollande, avec cette question: «*Qui va tuer l'autre?*». Une lectrice se chargea de répondre spontanément à cette interrogation: «*On s'en fout, parce qu'ils sont tous les deux cramés.*»

Lorsque je quittai ce soir-là mes camarades du journal pour rejoindre «Nuit Debout», j'eus l'impression en trois stations de métro à peine de passer d'un monde à un autre. Dans le caveau de «l'Obsolète», on s'obstinait à ne pas vouloir donner aux lecteurs ce qu'ils avaient envie de lire, à river le journal à la vieille politique morte des appareils, à éviter par tous les moyens de tenir un discours quelconque sur le monde, quitte à en crever. Dans l'autre, un espoir s'était levé, qui se chercherait maladroitement pendant des mois, mais qui était là désormais, qui existait, qui semblait indiquer à la France qu'un jour, peut-être, la démocratie redeviendrait pour elle autre chose que le passage à échéance fixe dans un isoloir.

Le succès de «Nuit Debout», cet improbable barnum faits d'irréconciliables espoirs fut en tout cas immédiat. Dès le second soir, et tous les autres soirs, la place de la République se remplirait de milliers de badauds, jeunes babas cool, austères professeurs venus en observateurs, mères de famille écolos avec poussettes, salariés de banlieue en K-Way, tous venus pour humer l'air d'une époque nouvelle, et parfois même le parfum entêtant des lacrymos, sur un campement constamment balayé par le mauvais temps. Chaque soir la police le rasait, chaque matin il remontait miraculeusement à l'assaut du ciel, grâce à la patience industrieuse de quelques-uns.

Aussi exagéré que cela paraisse avec le recul, maintenant que les sortilèges de « Nuit Debout » semblaient évanouis, le pouvoir prit peur, et même extrêmement peur, face à cette simple promesse démocratique. Le président fanfaronnait certes encore devant des journalistes à l'Élysée : « *À côté des 3 millions du 11 janvier, les 3000 de Nuit Debout ne sont pas grand-chose.* » Comme si la douleur collective consécutive aux attentats lui appartenait du reste en quoi que ce soit. Le cœur n'y était pas, cependant, et la police était sur les dents. Depuis des années déjà, chacun s'était installé dans l'idée que jamais un phénomène tel que les « Indignés » en Espagne ne prendrait chez nous, où le parti de la fille du Diable semblait bloquer l'ensemble du jeu, et tirer seul les bénéfices politiques de la désintégration du système français. C'était un vrai mystère d'ailleurs, dans un pays aux certificats révolutionnaires autrefois exemplaires.

Cette fois pourtant, c'était autre chose. La « grande peur » était revenue au sommet de l'État. La fameuse poudrière parisienne était peut-être en train de se réenflammer, et le PS français voyait surtout avec anxiété se profiler le scénario qu'avaient connu ses jumeaux espagnol et grec, partis de masse qui avaient été fortement déstabilisés, quand ils ne s'étaient entièrement volatilisés en quelques années. Il fallait agir, vite et surtout discrètement. Ne pas laisser cette verrue s'installer au pied de la statue de la République.

De plutôt bienveillante au départ, la couverture de «Nuit Debout» par les médias changea radicalement de tonalité en quelques semaines. Bientôt, sur les écrans, on ne vit plus que des «*casseurs*». Des mises en scène à grand spectacle de guérillas nocturnes tinrent lieu de seul commentaire à ces événements. Des tribunes et des interviews d'une violence hallucinée circulaient sur les «*manipulateurs*» en quoi étaient rétrospectivement travestis les organisateurs. Ainsi Frédéric se vit sans rire comparé par Alain Finkielkraut à Pol Pot, leader khmer responsable de la mort d'un million et demi d'êtres humains, sur la chaîne d'information la plus écoutée du pays. Comme toujours, les derniers ralliés à la réaction furent les plus déchaînés. Pascal Bruckner irait jusqu'à élucubrer dans *Le Figaro* un possible basculement de «Nuit Debout» vers la lutte armée, et même une énigmatique «*jonction avec les fous de Dieu*».

Toutes sortes d'idiots utiles du système emploieraient également leurs forces à démasquer l'inquiétant projet de «Nuit Debout». Ne pas être venu pour «*apporter la paix*», qui n'appelait à rien d'autre qu'à retrouver le goût du conflit politique, deviendrait sous leur plume l'aveu de complots contre l'État extraordinairement dangereux. Par un singulier hommage du vice, le pouvoir et ses ordonnances médiatiques avaient, depuis quelques années, recommencé à prendre l'intellectualité tout à fait au sérieux, usant au besoin d'actions spectaculaires pour frapper les esprits. Les penseurs radicaux les affolaient littéralement, leur ôtant tout bon sens. L'inquiétante affaire Julien Coupat l'avait déjà amplement démontré.

C'est peu dire qu'à «l'Obsolète» aussi, tous les regards étaient anxieusement tournés vers «Nuit Debout». «*Nous avons entendu des choses innovantes hier à la République, mais aussi de vieilles choses*», pontifiait Matthieu Lunedeau, pour donner le sentiment de dominer des désordres publics qui le dépassaient cette fois de très loin. S'il est une chose qu'il eût été vain de chercher à faire entendre à mon camarade, c'était bien le caractère atemporel des grandes idées. Progressiste à la manière naïve du Pangloss de Voltaire, il eût même été tout à fait irrité d'apprendre que les innovations dont il parlait étaient aussi anciennes que la démocratie athénienne, aussi anciennes que les «*vieilles choses*» communistes qui lui blessaient l'oreille, et que toutes, comme toutes les grandes idées, étaient indestructibles et ne disparaîtraient jamais de la surface de la terre.

Les semaines passant et l'affluence à «Nuit Debout» ne faiblissant pas, en dépit des trombes d'eau qui balayaient presque chaque nuit la place de la République, je fis l'objet au journal de déplaisantes manœuvres. Les deux journalistes chargées du suivi du mouvement exprimèrent à la hiérarchie leur «*profond malaise*» d'avoir à écrire sur «Nuit Debout», alors même que la directrice adjointe de la rédaction avait pour compagnon l'un de ses organisateurs. Ce soi-disant émoi ne manquait pas de sel, l'une de ces dames étant l'ex-épouse d'un ministre socialiste de l'Éducation nationale, l'autre celle d'un des présentateurs les plus célèbres de la télévision. Des souvenirs qui auraient pu au moins leur permettre de comprendre qu'il était pour le moins peu digne d'instrumentaliser la vie privée d'une femme pour jeter le soupçon sur l'intégrité de son travail.

Pendant près de deux décennies, l'un des chefs historiques du service politique de « l'Obsolète » avait été l'époux d'une attachée de presse du PS, véritable pilier de la rue de Solférino, sans que cela n'ait jamais suscité le moindre « *malaise* », posé à quiconque le moindre cas de conscience dans la maison, ni jeté le moindre doute sur son objectivité. Là, c'était autre chose. Les faits étaient commentés dans les couloirs par toutes sortes de jésuites. Certains en venaient à dérailler entièrement, allant jusqu'à soupçonner que « Nuit Debout » ne fût qu'un écran de fumée pour préparer une candidature à l'élection présidentielle. Une faribole absolue, ainsi que je dus l'expliquer à l'un des rédacteurs en chef, qui semblait aussi paniqué que le PS par la perspective de voir naître à la République un Pablo Iglesias français. « *Que dira-t-on si l'on apprend que* "l'Obsolète" *a servi de plateforme à une telle opération ?* », demandait-il gravement, comme si tout Paris ne savait pas que la gauche radicale avait toujours été le seul ennemi véritable à « l'Obsolète », celui qui s'y voyait inlassablement persécuté. Au même moment, c'est sans sourciller, ni susciter bien sûr le moindre « *malaise* », que le journal offrait à ses lecteurs un grand entretien « exclusif » de Jean-François Copé, ex-patron de la droite aussi reluisant qu'indispensable, qui comptait se relancer en politique.

Quoi qu'il en soit, les deux journalistes en proie au trouble obtinrent de la hiérarchie que jamais la directrice adjointe de la rédaction ne puisse ne serait-ce que lire la copie sur « Nuit Debout » avant sa publication. Pendant plusieurs semaines, les pages ne furent même insérées qu'au tout dernier moment dans le serveur informatique général, juste avant l'envoi à l'imprimerie, afin de les tenir éloignées de ma vue aussi longtemps que possible.

C'était tout à fait inouï. D'une part le mouvement « Nuit Debout » se fichait complètement de ce que « l'Obsolète » écrirait ou non sur lui, ensuite j'aurais évidemment mis un point d'honneur à ne jamais changer une virgule à de tels articles. Les faits devenant, pour le coup, franchement insultants, je pris rendez-vous avec Matthieu Lunedeau pour lui faire part de ma stupéfaction et régler une fois pour toutes cette affaire pénible.

À ma demande, donc, nous nous vîmes un quart d'heure en fin de journée le 7 avril. Je commençai par l'informer de ma relation avec Frédéric Lordon, quoiqu'étant assurée qu'il n'apprenait rien, puisque nombreux étaient ceux qui, au journal, la commentaient du matin au soir. Le directeur de la rédaction me confirma, en effet, qu'il était au courant, « *depuis peu* », ajouta-t-il. Je poursuivis en regrettant que certains membres du journal en soient venus à dissimuler de la copie et à me soupçonner d'intentions prosélytes en faveur d'un mouvement dont j'étais au bout du compte, comme eux, la simple spectatrice. Il me donna ses assurances qu'il ferait cesser ces comportements aberrants. La discussion s'acheva sur le constat de Matthieu Lunedeau que notre relation s'était effilochée au fil du temps et que tous les deux nous devions sans doute y remédier, en organisant pourquoi pas quelque déjeuner. Je le quittai presque entièrement libérée d'un poids que je traînais depuis des semaines, tel un boulet.

Rien ne se passa de la sorte. Nous ne déjeunâmes pas. Peu à peu, après cette discussion, je disparus mystérieusement des boucles collectives de mails envoyés à la direction du journal. Plus jamais je n'eus de conversation avec Matthieu Lunedeau, hormis lors de réunions où la situation même l'obligeait à m'adresser quelques mots formels. Un mois jour pour jour après cette entrevue, Matthieu Lunedeau me fit monter un soir au dernier étage du journal, sous un prétexte futile, pour m'annoncer, en présence d'une tierce personne qui faisait apparemment office de greffière, qu'il souhaitait « *réorganiser la direction* », expression qui n'annonçait rien de bon. Le lendemain même, je reçus une convocation pour un entretien préalable à un licenciement.

Pendant tout le temps que dura la procédure, Frédéric Lordon cessa de s'exprimer publiquement, pour ne pas me nuire alors qu'une négociation était encore espérée avec les actionnaires, et que la base de « l'Obsolète » entière s'était soulevée pour obtenir de ces derniers que, dégradée de tous mes titres, je conserve au moins la possibilité d'exercer mon métier au journal. Jamais le trio des propriétaires n'accorda à nos représentants un seul rendez-vous, ni ne consentit à répondre aux innombrables interpellations publiques qui lui furent adressées. Tycoons jonglant avec des dizaines de milliers de vies et banquiers d'affaires brassant des millions d'euros, tous se cachèrent derrière l'imposante stature de Lunedeau pour justifier une décision qu'il aurait prise « *absolument seul* », tels des seigneurs expliquant que leur palefrenier, devenu forcené, faisait désormais seul la loi au château. Durant ces mêmes semaines, « Nuit Debout » périclita irréversiblement, jusqu'à disparaître de la surface de la République.

23

« Jetons-la dans la mer »

La procédure fut d'une brutalité inouïe. Aucun des commanditaires ni de ceux qui avaient collaboré à cette décision ne s'assit jamais en face de moi. Courageusement, c'est par une autre femme, représentante apeurée du factotum qui ignorait tout de notre métier, qu'ils me firent exécuter. Jamais celui-ci, ni Matthieu Lunedeau, ni aucun des actionnaires, ne se mit en situation de croiser mon regard. Quelque chose de l'ordre du meurtre rituel était à l'œuvre, qui évoquait plus le traitement des sorcières au bas Moyen Âge qu'une stricte mesure de « *management* », comme le répétait désormais inlassablement Matthieu Lunedeau à ceux qui venaient l'empoigner sur la question.

« *En France, on tond les femmes* », m'écrira une amie de l'édition au premier matin. Un mot qui me glaça le cœur. « *C'est un licenciement politique. Pascal n'est qu'une balle perdue pour dissimuler la chose. La cible, c'est toi* », entendis-je le même jour à « l'Obsolète », tout aussi interdite. L'autre directeur adjoint, Pascal Riché, fondateur de l'ancien site Internet *Rue 89*, avait en effet été démis de ses fonctions en même temps que moi, mais à l'instant rassuré, et aussitôt recasé comme grand reporter dans la maison. Au fil de la semaine, des sources toujours mieux informées me contactèrent, dévoilant des informations toujours plus inquiétantes.

Il faut le dire avec fermeté, jamais mes pensées ne seraient allées seules vers ce qu'un de ces contacts appellerait « *la tête d'épingle de l'État* », où il fait généralement si sombre que rien ne peut filtrer. Jamais je n'aurais pu imaginer être ne serait-ce qu'un « *sujet* » à cet étage-là du pouvoir, où je pensais que d'autres dossiers plus prioritaires, de la Syrie au chômage de masse, mobilisaient entièrement les esprits. Alors même que l'état d'urgence autorisait à peu près tout et n'importe quoi, et que d'inoffensifs militants écologistes avaient pu se voir assigner à résidence, je voulais croire que je vivais dans la banale France de François Hollande, et pas dans l'Allemagne de l'Est d'Erich Honecker où l'on mettait sur écoutes la vie des réfractaires.

Un journaliste d'investigation me donna pourtant rendez-vous une fin d'après-midi en face de la gare de Lyon. Ce qu'il me dit ce soir-là fit tournoyer le décor autour de moi. Il y a décidément des pensées auxquelles on ne se fait pas. Jamais, par exemple, je ne m'étais imaginé qu'un président de la République puisse commenter ma vie privée dans le secret d'un salon de l'Élysée. « *Ah, vous ne saviez pas cela ? Ce sont des choses importantes à savoir pourtant, croyez-moi.* » Lorsque j'appris ce détail, je me sentis physiquement meurtrie.

J'appris ainsi que des rendez-vous avaient eu lieu, depuis le mois de janvier, au cours desquels le président s'était explicitement plaint du traitement que lui réservait la presse de gauche. J'appris que, dans la même semaine, avaient été reçus en tête à tête à l'Élysée, Claude Rossignel, décidément omniprésent dans ces lieux, mais aussi l'actionnaire majoritaire du journal *Marianne*, et surtout l'ogre des télécoms, qui régnait sur tout le Monde libre. Un autre rendez-vous en fin de semaine confirma hélas tous les dires précédents. Une source, élyséenne celle-là, affirmait qu'il y avait plus d'un mois que mon sort avait été scellé lors d'une entrevue.

Il était étrange que tant de traces aient pu être laissées. Car plusieurs personnes savaient exactement ce qui s'était passé, et en avaient déjà parlé autour d'elles, avant même le démarrage de la procédure qui allait me viser. À cela j'avais fini par apporter une sorte d'explication. Je n'étais qu'une femme après tout, sans protecteurs haut placés, et proche de plusieurs membres honnis de la gauche radicale qui plus est, j'étais donc tout à fait le genre de personne sans importance avec lequel affairistes, managers et hommes d'État ne devaient nullement se gêner, ni prendre les précautions ordinaires. Très tôt la situation m'avait fait penser aux dernières lignes de *La Duchesse de Langeais* de Balzac, qui disaient tout, avec concision, des pensées qu'un groupe d'hommes de pouvoir en fusion pouvaient en venir à développer en cas de grosse contrariété. « *C'était une femme, maintenant ce n'est rien. Attachons un boulet à chacun de ses pieds, jetons-la dans la mer…* » Une telle férocité, une telle singularité dans la procédure, unique dans toute l'histoire du groupe Le Monde, de telles irrégularités dans l'exécution, tout cela sentait la décision improvisée dans le vestiaire viril, qui minimise dangereusement les risques et exagère jusqu'à l'absurde les bénéfices qui en seront tirés.

S'il était en effet une chose amusante à imaginer, après coup, c'était à quel point ma disparition programmée ne réglerait aucun des tourments de cet aréopage. Les problèmes toujours plus dramatiques de « l'Obsolète » ne s'en trouveraient nullement réglés, les chances élyséennes pour la prochaine présidentielle aucunement restaurées, l'efficacité du factotum du groupe Le Monde encore moins universellement saluée.

Étrangement, celui-ci n'avait cessé durant tous ces événements d'être un accélérateur du pire, alors qu'il aurait dû servir à ses actionnaires d'avertisseur, en même temps que de pare-chocs. Totalement acculé par les interrogations qui montèrent de toutes parts après mon licenciement, il en vint à basculer résolument dans la mythomanie. Ainsi répandait-il en petit comité l'idée que je lui aurais demandé la place de Matthieu Lunedeau, et que c'était cela la vraie raison de cette éviction. Une idée saugrenue, puisque, en admettant même que ce désir m'eût un jour effleurée, jamais je n'aurais demandé quoi que ce soit à ce personnage, ne serait-ce qu'une simple place de parking.

Toujours il m'avait traitée avec une singulière brutalité, piétinant mes projets au journal, tournant inlassablement en dérision mon « *gauchisme* », poussant sans relâche vers le sommet ses amis au détriment des éléments qu'il eut été sain de promouvoir, allant jusqu'à me hurler publiquement dessus un jour dans un café parisien, pour une broutille inexplicable, suscitant l'intervention indignée d'un serveur.

En quelques années, singeant la violence de ses maîtres sans en avoir le discernement, il était devenu l'instance incontournable du plus grand groupe de presse français, et s'en rengorgeait dans toute la ville. « *Un journaliste qui se grille avec nous est mort professionnellement* », lançait-il souvent avec satisfaction, en avalant sa poignée de cacahuètes dans un des bars de grands hôtels où il aimait se montrer.

Sur ce point-là, le factotum ne mentait pas. C'est bien une proscription qui avait été prononcée à mon égard, sachant que le reste de la presse était soit très marqué à droite, soit presque entièrement sinistré. Politiquement marquée au fer rouge, tout avait été fait pour que je ne puisse plus exercer mon métier, à l'image de ces artistes qui, du jour au lendemain, ne remontaient jamais sur scène derrière l'ex-Rideau de fer. La rédaction de « l'Obsolète » s'insurgea contre le sort cruel qui m'était fait. Une « motion de défiance », la première de l'histoire d'un journal tout sauf frondeur, fut votée à 80% contre cette décision et les pratiques détestables qu'elle annonçait pour l'avenir. L'agitation dura près de sept semaines. De nombreuses assemblées générales s'improvisèrent, comme si le mouvement « Nuit Debout », que certains avaient voulu étrangler à la République, revenait ironiquement hanter la place de la Bourse.

Des heures de réunion durant, Matthieu Lunedeau se fit couvrir de reproches et d'insultes, situation à laquelle il faisait face avec une raideur inhumaine, comme si son appartenance à la race des seigneurs, au *Valhalla* du management, l'attendait telle une récompense surnaturelle au bout de cet effroyable tunnel. Des mots de vrai courage furent prononcés par une rédaction insurgée. Le mot de «*crime originel*» fut proféré. Un collectif authentique était né, comme le factotum ne cessait de le réclamer mécaniquement depuis deux ans, sauf que, c'est précisément contre lui et tout ce qu'il incarnait que ce miracle était advenu.

«L'Obsolète» apprit la politique de terrain, ses luttes en apparence minuscules, ses forteresses de sable à reconstruire chaque matin. Des communiqués écrits dans la nuit partaient dans toutes les directions, certains en vinrent à tenter des médiations désespérées, se jetant téléphoniquement aux pieds des actionnaires. Rien n'y fit. «*Toute la nuit elle se battit, et puis au matin, le loup la mangea*», comme il est écrit dans le fameux épilogue de «La chèvre de monsieur Seguin».

Par une étrange délicatesse, mon père avait pris l'habitude d'en transformer la fin lorsque j'étais enfant, permettant à la chèvre de s'échapper de l'étreinte du monstre, et de rentrer gentiment chez son maître pour se faire attacher à son piquet, dont son goût exalté pour la liberté l'avait imprudemment éloignée. J'eus l'occasion de me rendre compte de cette aimable supercherie, lorsque j'appris par hasard un jour à l'école la fin véritable de l'histoire. Ce n'est que bien des années plus tard encore que, découvrant l'intégralité du texte, je découvris qu'il s'agissait d'une fable évoquant le monde de la presse.

L'auteur, Alphonse Daudet, s'y adressait à un poète lyrique à qui l'on avait proposé «*une place de chroniqueur dans un bon journal de Paris*», et qui avait l'aplomb de refuser, préférant conserver intacte sa liberté. Fais-toi donc journaliste, imbécile, le sermonnait-il, lui faisant miroiter les écus qu'il toucherait, le couvert à une table réputée qui lui serait réservé, ainsi que les jours de première où il pourrait se montrer. Devant le refus obstiné du faiseur de rimes, il se décidait à lui raconter le funeste destin d'une chèvre émancipée qui « *se croyait au moins aussi grande que le monde* » et qui, à dix reprises, força le loup à reculer pour reprendre haleine, avant de finir elle aussi dévorée. « *Tu verras ce que l'on gagne à vouloir vivre libre.* » Décidément, les termes du marché n'avaient pas beaucoup changé depuis le XIXe siècle. La sécurité aliénée du journalisme, ou bien la liberté – souvent payée par un arrêt de mort sociale.

24

Destruction d'un monde

Ce fut l'heure des vérités amères. Après l'orgie de violence, les plus lucides comprirent tout ce à quoi il fallait désormais se préparer. C'était donc cela le « Monde libre », que l'on avait fait miroiter aux dernières enseignes prestigieuses de la presse de centre gauche, soulagées d'avoir réussi à monter sur une arche à peu près digne en plein naufrage de la presse. C'était cela, la grande promesse démocratique qu'avait faite au pays, la main sur le cœur, les nouveaux maîtres du quotidien de référence, fondé en 1944 par Hubert Beuve-Méry pour que voie enfin le jour en France une presse libérée des corruptions de l'argent et des intrusions de l'État.

Le Monde libre, c'était en fait le « Monde Free », du nom de l'entreprise de télécoms discount grâce à laquelle l'ogre avait bâti toute la fortune profuse qui lui permettait de racheter la presse nationale. Un monde réputé pour son insensibilité achevée au sort de ses salariés. Un monde où ces derniers n'existaient que comme variables d'ajustement dans la course à l'optimisation des coûts qui était l'unique doctrine de l'ogre, une fois retiré le vernis de sa saga entrepreneuriale enchantée.

« *Tous les licenciements agressifs sont des exemples. Ils instillent une instabilité, une précarité qui rend les gens dociles. À force, les gens deviennent passifs et malléables* », avait sobrement expliqué l'ancien directeur du personnel d'un de ces lieux de souffrance où régnait la loi du « Monde Free », dans le sud de la France. Ce repenti avait fini par se confesser quelques années plus tard à des journalistes de *Politis*, titre de gauche indépendant dont il fut longtemps bienvenu à « l'Obsolète » de se moquer. « *Soit tu te plies, soit je te casse* », avait résumé en connaisseur l'ancien boucher, que ses années de service avaient à la longue écœuré. De façon prévisible, cette enquête téméraire, de première importance pour l'intérêt général, ne bénéficia d'aucune reprise dans le reste de la presse.

Ainsi, à peine ma sentence fut-elle exécutée que l'ogre profita de la désorientation générale pour demander à Matthieu Lunedeau et au factotum de mettre en place un vaste plan de départs à l'automne. Environ quarante évictions étaient à nouveau demandées à « l'Obsolète », après les quarante autres départs de journalistes auxquels il avait déjà été procédé à peine deux ans auparavant. On y était. La grande saignée avait pour de bon commencé, celle que *Libération*, *L'Express*, comme les titres du groupe Lagardère, avaient déjà connue sous l'égide d'autres milliardaires qui, loin de garantir leur sécurité, les uns après les autres les anéantissaient. Ce genre de purge entraînait à chaque fois un affaiblissement irréversible du malade, une baisse spectaculaire de la qualité des papiers, des journalistes submergés, et de moins en moins spécialisés, des lecteurs encore plus dépités que par le passé, justifiant un nouveau serrage de boulons économique, toujours plus draconien. À terme, le coma était dépassé et la mise sous respiration artificielle assurée.

À ces avertissements-là, l'ogre ne prêtait nulle oreille, assuré qu'il était du fait que la réduction des coûts étaient un canon universel auquel rien ne saurait échapper. Un jour, il avait même avoué éprouver une certaine félicité à se promener dans son entreprise intentionnellement «*sous-staffée*», où longtemps après l'heure du dîner on pouvait voir de nombreux employés encore en train de besogner.

Tels les passagers du pont supérieur d'un paquebot de luxe, les journalistes du groupe Le Monde avaient cru pouvoir échapper au sort qui régnait dans le fond de cale, là où trimaient dans l'ombre les soutiers de l'ogre, pour fournir les millions de liquidités qui permettaient comme par enchantement de les financer. Ils le connaissaient bien mal. Passées les premières politesses de rigueur, c'était désormais un crève-cœur pour lui d'imaginer un seul journaliste désœuvré dans son empire, notamment à «l'Obsolète», où la rumeur publique voulait à tort que beaucoup peignent encore la girafe. Cela faisait en réalité plusieurs années qu'il songeait à passer à la paille de fer ce métier qui ne l'avait pas ménagé lorsque, par le passé, il avait connu des heures tourmentées.

Pourquoi ce style d'investisseurs avait-il annexé la presse dans sa quasi-entièreté si c'était pour ainsi la dévitaliser? Le vrai mystère c'est que cette question-là, les journalistes furent longtemps sans même se la poser. Ainsi l'ogre se balada-t-il longtemps devant des interviewers complaisants ou des niais, laissant entendre qu'il était une sorte de mécène à l'américaine, allant parfois jusqu'à assurer qu'il avait investi dans la presse d'opinion par une sorte de boy-scoutisme patriotique, afin que la France conserve « *une presse indépendante* ». À toute la rédaction du journal *Le Monde* assemblée en 2010, il avait même déclaré non sans entrain pour les convaincre de se laisser acheter : « *Mon projet, c'est vous !* ». Une envolée de patron de multinationale californienne, qui avait fait son effet. Un peu plus de 90 % des journalistes avaient approuvé ce rachat par un vote. C'est donc avec un score de tyran nord-coréen que les trois figures du CAC 40 et de la banque d'affaires prirent la tête de l'austère titre de la presse française, sans que quiconque y voie à matière à sursauter. Grâce à ce premier trophée, ils ne tarderaient pas emporter toutes sortes d'autres titres respectés, parmi lesquels « l'Obsolète » ; rien ne semblait plus devoir leur résister.

Il y avait désormais deux catégories de journalistes à Paris, se vantait le factotum. Ceux qui travaillaient pour Le Monde libre et ceux qui travailleraient un jour pour lui. Aussi rares étaient les enquêteurs qui prenaient le risque de se fâcher avec l'ogre et de rappeler les différentes taches qui figuraient sur son CV.

Avant les parrains du CAC 40, l'ogre avait en effet surtout côtoyé les propriétaires de sex-shops de la rue Saint-Denis, et évolué dans le monde sans lustre des gérants de peep-shows. Des années durant, il avait vécu de cette rente, qu'il avait du reste continué à percevoir tout en se lançant dans l'activité plus orthodoxe des télécoms, parce que, à ses propres dires, elle ne lui donnait pas « *la même sensation de gain d'argent* ». Le surnom de « *roi du porno* », dont l'affubla un célèbre hebdomadaire satirique à la fin des années 90, le convainquit cependant de l'urgence de mettre de l'ordre à ses affaires. Peu de gens se risquaient à l'évoquer, mais le futur maître du Monde libre avait été lourdement condamné en 2006 par le juge Van Ruymbeke dans une affaire de « *recel de bien provenant d'un délit puni d'une peine n'excédant pas cinq ans d'emprisonnement* ». Il ne fit pas appel. La méfiance intime qu'il avait à l'égard des journalistes, les menaces judiciaires qu'il brandissait pour de simples vétilles, tout cela ne pouvait se comprendre si l'on ignorait qu'il souhaitait à toutes forces oublier ce passé, qu'un océan d'argent entier n'était pas encore parvenu à laver.

À quelques-uns, il était même allé jusqu'à envoyer des agents de police à l'heure du laitier. Ainsi l'ancien directeur de la publication de *Libération* s'était-il vu interpeller à son domicile en 2008, suite à une plainte de l'ogre, mécontent d'un simple commentaire de lecteur paru sur le site du quotidien. Un professeur d'économie de Nancy s'était également vu réveiller en 2012 par un huissier, un expert informatique et deux policiers, mandatés pour fouiller le contenu de son ordinateur, suite à l'article que, dans *Les Échos*, il avait consacré aux destructions d'emplois qui suivraient l'arrivée de Free dans la téléphonie mobile. Un peu plus tard, une jeune journaliste de ce même quotidien avait été mise en examen pour avoir seulement rapporté les propos d'un concurrent de Bouygues Telecom, ce qui n'avait pas eu l'heur de convenir à l'ogre. Pas de doute, avec un tel personnage, la liberté d'informer était entre de bonnes mains. Les chartes d'indépendance et autres comités d'éthique qui servaient depuis des années de boucliers aux différents titres étaient cette fois sous bonne garde.

Ne pouvant attaquer tout le monde, ni anticiper tous les départs de feu, l'ogre avait parallèlement mis en œuvre une autre pratique qui s'avérerait sur la longueur d'une redoutable efficacité: celle de l'épandage massif de capitaux. Il y avait des années qu'il arrosait de la sorte jusqu'aux plus obscurs sites qui se montaient sur Internet. L'éphémère Bakchich, qui promettait de l'investigation et du mauvais esprit, avait ainsi touché une somme rondelette, aux dires de son fondateur. *Causeur*, le journal en ligne du renouveau intellectuel de la droite ultra, comptait aussi l'ogre parmi ses actionnaires. Plusieurs sites spécialisés dans les médias également. D'innombrables titres au total, dont nul n'avait l'exacte arborescence en tête. Personne n'en percevant clairement la nécessité, chacun le créditait volontiers de donner bénévolement un coup de main aux corsaires libertaires de l'Internet confrontés à toutes sortes de prés carrés, comme lui-même l'avait été. Le bénéfice d'image, non négligeable, devenir l'incarnation même d'un capitalisme cool, n'était pourtant pas la seule contrepartie des fonds engagés, dérisoires au regard de sa fortune. Une participation dans un journal, c'était toujours de l'indépendance en moins. Et aussi un bavard de plus en ville, qui irait chanter sur tous les tons combien l'ogre était un actionnaire de rêve, qui n'intervenait jamais dans les rédactions, et ne voulait surtout pas se mêler de ce qu'on appelait désormais les « *contenus* ».

Bizarrement, les journalistes, toujours prompts à s'illusionner sur leur rôle de vigies républicaines, n'arrivaient pas à concevoir que c'était leur bienveillance qui se voyait ainsi achetée dans leur dos. Ce n'est que bien des années plus tard que l'on s'aperçut que l'ogre avait placé de l'argent dans la quasi-totalité de la presse en ligne « *indépendante* », et que de fait celle-ci l'était rarement, dès lors qu'il s'agissait de publier le moindre renseignement gênant sur lui.

Ainsi la presse française entière, hormis celle que détenaient quelques opérateurs ennemis, était-elle devenue une sorte de pantin à clochettes que l'ogre faisait tournoyer pour sa distraction au bout de son pied. Ce dernier en devenait un peu imprudent, allant jusqu'à déclarer en couverture d'un magazine pour trentenaires branchés : « *L'État n'a pas d'argent, moi j'en ai.* » L'année de l'élection présidentielle promettait, il est vrai, pour lui un véritable sacre, puisque dans un ancien bâtiment ferroviaire du 13e arrondissement de la capitale qu'on appelait la Halle Freyssinet, il avait contribué à mettre en place ce que les journalistes nommaient d'un air extasié « *le plus grand incubateur de start-up du monde* ». Certains racontaient qu'il serait amusant, lors de l'inauguration en 2017, d'y observer l'ogre traînant après lui, tel un nain de cour, le président de la République française, qui lui serait nécessairement fort redevable de l'organisation d'un si bel événement.

C'était là tout ignorer des lois d'airain qui régissaient les rapports entre la puissance publique et les opérateurs privés des télécommunications. Pour l'ogre, qui œuvrait sur ce marché entièrement régulé par l'État, la qualité de ces rapports était primordiale. Une location de réseau non renouvelée, et c'était par exemple toute son affaire de téléphonie mobile qui se serait écroulée. Ainsi avait-il à cœur de soigner l'occupant de l'Élysée, qu'il envisageait d'un strict point de vue instrumental. La politique ne l'intéressait nullement, seul son business importait, en lui il avait placé sa vie même.

L'ogre se définissait toutefois comme « *libéral* », ainsi le gouvernement socialiste au pouvoir lui paraissait-il fort sensé. La « Loi travail » se montrait notamment au diapason de sa pensée, dépouillant de leurs dernières armes les salariés, universalisant le droit de licencier. À certains égards, il avait même été précurseur. Le jeune banquier de chez Rothschild qui était alors le ministre de l'Économie avait au demeurant toutes ses faveurs.

Régulièrement envoyé sur les ondes pour défendre la réputation de ses maîtres, le factotum du groupe Le Monde niait grossièrement la réalité de cet assujettissement, assurant que les activités de l'ogre ne dépendaient pas « *des commandes de l'État* ». Un propos qui avait les apparences de la vérité, l'ogre n'ayant pas d'avions de chasse à écouler. Un propos qui était toutefois un faux complet, l'ogre ayant à échéances régulières vitalement besoin des autorisations de l'État.

Une sujétion dont il était difficile de nier le caractère périlleux, s'agissant de l'actionnaire d'une aussi puissante holding de presse française. En somme la dépendance entre celui-ci et l'État était-elle étroite et mutuelle. L'ogre ne se faisait du reste pas prier pour fanfaronner à ce sujet, assurant que depuis que ses associés et lui avaient pris la tête du groupe Le Monde, il n'avait pas à attendre une demi-journée avant d'être reçu à l'Élysée. Et lorsque ce personnage, qui faisait claquer le fouet sur toute la presse « *de gauche* », venait en effet y faire son tour, nul n'avait le moindre contrôle sur ce qui pouvait s'y passer.

Géants des télécoms, marchands d'armes, propriétaires milliardaires de conglomérats divers, la presse ne s'appartenait plus. En moins d'une dizaine années, sa fragilité l'avait entièrement aliénée à toutes sortes d'intérêts privés. Contrairement à une autre promesse historique du PS, rien n'avait jamais été tenté pour interdire à un groupe industriel en rapport avec l'État d'acheter un titre de presse. Quant à la dernière loi visant à lutter contre la concentration des médias, elle datait curieusement d'avant même le lancement d'Internet en France.

Petit à petit, sans faire de bruit, on avait donc fini par en revenir à la presse du XIXe siècle, où les journaux étaient corrompus de fond en comble, certains vivant grâce aux fonds directement reçus du gouvernement pour le soutien à sa politique, d'autres grâce à la publicité financière déguisée, qui prenait la forme d'articles boursiers objectifs. Les procédés avaient changé, mais le fil à la patte était identique. Les aides que l'État distribuait à la presse servaient même encore, dans certains cas, de monnaie d'échange pour assouplir telle ligne politique. Pour certains, c'est exactement ce qui venait de se produire à *Marianne* où un directeur, ardent défenseur du « social-libéralisme » gouvernemental, venait comme par enchantement d'être nommé à la tête du journal un an avant la présidentielle.

L'ampleur de la régression était incroyable. On se serait cru revenu au temps de *La Vie française*, journal emblématique de cet âge de la presse décomposé que Maupassant avait mis en scène dans *Bel-Ami*, ramassant toute sa propre expérience de journaliste. Une feuille où, comme aujourd'hui, les seuls rédacteurs en chef intouchables étaient les hommes de paille de clans ministériels ou d'hommes d'affaires, exécuteurs scrupuleux des intentions de ceux-ci, propagateurs des bruits qu'ils souhaitaient voir courir. Un monde où les intelligences à fond de vase étaient celles qui prospéraient le mieux, celles à qui les convictions étaient rigoureusement étrangères, celles qui savaient usiner dans leur coin sans s'apercevoir de rien, ni entendre le vrai sens de ce qu'on leur commandait de faire.

Un jour de 2010, lors de la bataille pour le rachat du quotidien *Le Monde*, Claude Rossignel, fondateur de « l'Obsolète », avait eu un instant d'absolue clarté. Tous les voiles semblaient s'être brutalement déchirés. « *Le danger aujourd'hui est que, n'ayant pas fait les réformes nécessaires et sans moyens financiers, la presse et ses lecteurs tombent entre les mains des pouvoirs de l'argent, du politique ou du CAC 40, dont les intérêts sont liés.* » Moyennant quoi, quatre années plus tard, c'est à son ami l'ogre des télécoms, carrefour de tous les pouvoirs de l'époque, qu'il avait revendu l'œuvre de sa vie. Désormais, à « l'Obsolète » et ailleurs, le temps était venu de vivre au sein d'une presse croupion, gérée à l'os pour ne rien coûter, ne servant guère que d'instrument de prestige dans certains cercles, et aussi de verroterie pour quelques trocs occasionnels avec ceux qui croyaient encore obstinément en son pouvoir. Comble de l'obscénité, le factotum disait à qui voulait l'entendre qu'il y avait bien de l'abnégation et du désintéressement de la part de ses maîtres à investir dans un secteur aussi sinistré. Un véritable « *goût pour la presse* » de leur part aurait pourtant dû leur inspirer de ne jamais y mettre les pieds.

La prochaine étape promettait d'être grandiose. Toutes les rédactions du Monde libre seraient rassemblées dans un unique bâtiment futuriste situé près de la gare d'Austerlitz. La première pierre n'était pas encore posée que cette affaire justifiait déjà toute une farandole de réunions entre émissaires de «l'Obsolète» et de ses titres frères, sans parler de visites à l'étranger pour observer l'organisation forcément enviable des «plateaux» anglo-saxons. En 2018, les journalistes rejoindraient cette laiterie automatique géante où, tous alignés devant leur *desk* dans un espace décloisonné, ils seraient priés de produire enfin avec un peu de rationalité derrière une superbe façade de verre pixellisée. Fini le temps de la stabulation libre, des cafés qui s'allongeaient dans l'après-midi, des rencontres imprévues d'où sortaient les seules idées qui vaillent, des matinées chez soi à lire pour forger un style et nourrir un début de pensée. Certains s'étaient juré de partir avant ce dernier outrage.

«*D'un journal de référence à une aventure entrepreneuriale*», trompétait le factotum sur les réseaux sociaux. Sur son compte Twitter, on pouvait aussi apercevoir le dessin du bâtiment géant conçu par une architecte norvégienne, mélange improbable de soucoupe volante et de château unijambiste dans le style Chenonceau. De journalisme il n'était plus question, en effet. Ou alors tout à fait neutralisé, compilation de dépêches, reprise de la parole officielle, tapinage à clics attendu, fadeur humaniste tout ce qu'il y a de plus convenue. Un journalisme d'où l'esprit se serait absenté, ne laissant derrière lui que le désert des «*contenus*».

Assurément ces gens étaient venus dans la presse non pour la sauver, mais pour l'achever, et la seule liberté qu'ils connaissaient, c'était celle de mener à bien leurs affaires. Le factotum notamment était l'inusable relais de la transformation en boue managériale de tout ce qu'il touchait. Toute une disposition d'époque s'exprimait à travers ce personnage. Un mélange de refoulement forcené de la politique et de fascination vulgaire pour tous les attrape-mouches avançant sous le signe de la «*modernité*», alors même que l'ensemble du pays était en train de se repolariser spectaculairement, et qu'un boulevard s'ouvrait à nouveau dans la presse pour la confrontation des idées. Il n'était pas franchement difficile de comprendre pourquoi les lecteurs des titres nationaux autrefois régnants étaient désormais aux abris, sauf pour la consommation fonctionnelle d'informations jetables sur le web.

Ces vérités-là, peu voulaient toutefois les entendre, notamment au *Monde*, où les journalistes étaient pour l'heure relativement épargnés. Il faisait froid dehors, alors que tant de plans sociaux étaient déjà à l'œuvre, l'industrie médiatique détenant même le record de l'exercice pour l'année 2015. Il était si doux de jouer à Bob Woodward encore pour quelques heures à l'ombre de l'ogre. De temps à autre, des opérations écrans internationales du type «Panama Papers» servaient à masquer l'absence de vrai contre-pouvoir qu'offrait un journal plus lisse que jamais. La plupart du temps celles-ci s'en prenaient à des dictateurs étrangers, gredins avérés, ou à d'anciennes célébrités dont nul n'attendait une tatillonne honnêteté. Il restait si peu de phrases qui vous redressaient ou vous emportaient ailleurs; quant aux plumes mordantes, on avait procédé à l'extinction de la plupart d'entre elles depuis des années déjà.

Spectateurs de cette humiliante défaite, nous étions de plus en plus nombreux à nous demander ce qu'il était encore possible de faire. Il fallait que quelque chose se passe. Mais quoi ? Ce n'est pas que le rapport de force était défavorable, c'est qu'il n'existait pas. Les « motions de défiance » se fracassaient les unes après les autres, pour le plus grand divertissement féodal des actionnaires, qui n'avaient de comptes à rendre à personne. « *Faites-en autant que vous voulez !* », s'était amusé l'un d'entre eux, président du conseil de surveillance de « l'Obsolète », comme s'il s'était adressé à ses serfs, lorsque mes camarades tentèrent de me sauver en votant l'une d'entre elles.

Sous ce joug mortifère, la presse deviendrait un jour le seul commerce à s'être éteint d'avoir obstinément refusé de donner à ses acheteurs ce qu'ils avaient envie de se procurer. De vraies phrases, pour mener de vrais combats, dans des journaux véritablement habités, qui ne soient pas de simples décors de théâtre, occultant de déshonorantes coulisses.

Le temps était sans doute venu de tenter cela ailleurs, avec l'appui de lecteurs eux aussi spoliés, loin de ces bousilleurs, dont les intérêts dissimulés étaient en train d'éteindre une à une les libertés. Quant aux titres qui étaient déjà pris dans la nasse, seul un gouvernement extrêmement volontaire pourrait un jour, peut-être, remédier à l'affaire. Tout était bien entendu fait pour que celui-ci n'advienne jamais.

Épilogue

Sans doute n'aurais-je pas trouvé, seule, la force de m'arracher à l'un des rares journaux historiquement apparenté à la gauche, où il faisait bon vivre, il y a peu encore, au milieu de mes amis à « l'Obsolète ». Le problème ne s'est pas posé. Ce monde-là a fini par appuyer sur la détente après quinze années à m'avoir continûment tenue en joue.

On ne le sait pas nécessairement mais le mot « *licencier* » a deux sens. Je l'ai appris pour ma part à cette occasion. Celui de congédier un employé jugé surnuméraire, fautif, ou perturbant. Mais aussi celui, attesté encore dans *L'Étourdi* de Molière, de s'accorder « *trop de liberté* », où pointe d'ailleurs en arrière-plan le mot « *licence* » et ses évocations luxurieuses. Il est vrai que, dans le milieu économiquement et intellectuellement paupérisé de la presse contemporaine, je crois être allée aussi loin qu'il était possible d'aller dans l'ordre de l'affranchissement que l'on peut tenter de conquérir.

Constamment j'avais testé les limites, tirant sans relâche sur la corde qui entrave les salariés de la plume, pensant que, si j'en avais fait moins, je n'aurais pas mérité le peu de liberté qui nous était encore accordé. Un confrère du *Monde* m'avait un jour confié que pas une seule fois, dans le journal où il travaillait depuis près d'un quart de siècle, on n'avait rectifié idéologiquement un de ses papiers, pas plus qu'on ne lui avait ordonné de ne pas divulguer telle information, ou de retirer telle phrase coupable. J'en étais restée interdite, tant mon expérience, et celle de nombreux journalistes connus de moi, était exactement inverse. Il en déduisait qu'une vraie liberté régnait dans notre métier. J'en avais plutôt conclu que son cerveau était comme un manège où, depuis la nuit des temps, tournait un cheval aveugle, incapable d'apercevoir la moindre ouverture sur l'inconnu.

Moi aussi, à ma façon, je m'étais abîmée dans ce monde-là, à tenter sans relâche d'en toucher les extrémités. Moi aussi, j'avais fini par croire que, hors de cette liberté mutilée, rien ne pouvait être tenté sans encourir d'inutiles dangers, mais c'était bien fini désormais. De l'épreuve j'étais sortie entièrement transformée, mais non pas brisée comme ils l'attendaient. Moins résignée encore, et plus hérétique que jamais.

C'était une évidence désormais, jamais je ne retournerais dans l'une de ces maisons centrales pour journalistes où l'on écrivait le mot liberté sur la grille d'entrée pour chaque jour mieux la saccager. Jamais plus je ne me contenterais de glisser la vérité seulement dans quelques interstices, heureuse lorsque la chose n'était ni détectée, ni réprimée. Jamais je n'accepterais plus longtemps l'humiliation d'avoir mon rond de serviette au milieu de tous ces auxiliaires d'une gauche trompeuse, œuvrant sans relâche à la démolition de la vraie.

Pour cet affranchissement-là, sans doute me faut-il aujourd'hui remercier les maîtres de «l'Obsolète». Grâce à eux, une clarification s'était opérée. Maintenant l'on savait comment seraient traitées à l'avenir les convictions dans le Monde libre. Maintenant l'on savait où finissaient ceux qui pensaient que le journalisme n'avait pas pour seule fonction de conforter les mensonges grégaires, ceux qui se risquaient encore à émettre des doutes, ceux qui se pliaient mal à l'imposture d'un management en passe de tout stériliser.

Sans doute mon vieux mentor, Jean Joël, aurait-il pu à un moment donné user de son crédit symbolique pour faire reculer les forces du capital. Certains l'avaient pensé en tout cas, mais pour cela il aurait fallu faire autre chose, toute une vie durant, que de ne sacrifier qu'en apparence à celles de l'esprit. Sans recours possible, nos amis étaient entièrement dans le poing de l'ogre. Chacun sentait pourtant que le Monde libre avait vécu ses dernières années de tranquillité. Nombreux étaient désormais ceux qui, trouvant son nom toujours moins approprié, se prenaient à rêver de le libérer.

Table

Achevé d'imprimer sur Roto-Page en septembre 2016
par l'Imprimerie Floch à Mayenne
Dépôt légal : octobre 2016
N° impr. : 90105
Imprimé en France